Collection

LA MORT EN QUESTION

dirigée par

Dominique Dallayrac

VERCORS

Les chevaux du temps

Roman

Tchou

Du même auteur,

chez le même éditeur :

21 Recettes pratiques de Mort violente

chez d'autres éditeurs :

Albin Michel

Le Silence de la Mer
Les Animaux dénaturés
Colères

Grasset

Sylva
Ce que je crois

Presses de la Cité

La Bataille du Silence
Le Radeau de la Méduse

Plon

Comme un Frère

etc

© Tchou, éditeur - 1977.

ISBN 2-7107-0065-4.

Préface

André Gide vieillissant disait qu'avec l'âge « l'on doit consentir à se répéter si l'on ne veut pas dire de bêtises ». Ne désirant ni bêtifier ni rabâcher, il est donc temps que je m'accorde congé et laisse à mes cadets le soin de poursuivre sur la voie que — depuis la guerre, le nazisme et la mise en question de l'espèce humaine — j'ai tenté de tracer. Et où tout reste à dire. Mais je me répéterais. A vous, jeunes gens.

Et me voici libre de céder à mes goûts, dont celui très ancien pour les histoires extraordinaires (pourvu qu'elles fussent — Nerval, Edgar Poe — de qualité), et à l'attrait d'en écrire moi aussi. Mais le temps me manquait, ayant trop d'autres livres en tête qui exigeaient la priorité. Désormais, donc, ce temps je l'ai : je me suis donné congé. Je peux me passer enfin mes fantaisies.

Or il se trouve — la vie a de ces coïncidences — qu'on me demande d'ouvrir une collection où cette fantaisie peut s'ébattre à merveille. D'autant que je triche un peu : car il y a bien longtemps déjà que j'avais écrit une histoire de fantôme. C'était avant la guerre, je n'étais pas encore devenu écrivain, et je tombai un jour, dans une vieille revue anglaise, sur un conte anonyme de quelques pages, maladroit, mal écrit, mais dont le thème me séduisit : j'y avais senti palpiter, sous cette maladresse littéraire, une poésie prenante.

7

Je m'amusai, ce conte, à le reprendre, pour le récrire entièrement, à ma manière, en me laissant aller à mes propres rêveries. Ce furent mes premières armes dans la littérature. Sans la moindre intention alors, bien sûr, de publier. Cette « fantasmagorie » était par conséquent restée depuis dans mes cartons. L'occasion me l'en a fait ressortir, je l'ai relue et, ma foi, elle ne m'a pas déplu. C'est donc elle qui a donné naissance à ce « roman fantastique » dont elle a été, en quelque sorte, la locomotive. Un peu revue et corrigée à la lumière de ce que m'ont appris trente ans de métier mais, en somme, très peu : elle reste pour l'essentiel ce qu'elle était en 1936.

Les chapitres suivants, tous écrits récemment — et mises à part l'histoire du vétérinaire, qui semble être arrivée réellement à l'un de mes amis, et celle du télépathe-illusionniste, qui m'est arrivée à moi-même — ont des sources moins évidentes. Je n'en retrouve pas d'autres que ma propre imagination. Que celle-ci néanmoins ait puisé à d'autres sources, c'est probable : près de soixante-dix années de lectures, de choses vues et entendues ne me laissent guère le droit de la prétendre vierge. Mais l'esprit n'est-il pas fait dans sa quasi-totalité de ce que nous avons appris des autres, ensuite oubliant de qui ? En ce sens, on pourrait dire que l'œuvre la plus originale est surtout constituée d'oublis. Heureusement, sinon l'on n'oserait rien écrire. Hommage soit ainsi rendu à tous les inconnus qui ont pu m'inspirer.

Il me reste à dire à présent l'essentiel. Qui consiste à me défendre d'avance d'un grand malentendu possible, vu la nature de ce roman. Car je ne voudrais, pour rien au monde, passer pour me faire complice de l'offensive antirationaliste qui, depuis quelque temps, s'exerce sur le public par tous les mass media. Il n'est question que d'occultisme, d'astrologie, de survie post mortem, de pouvoirs extraordinaires. La science, la raison sont mises au pilori, on les condamne, on les ridiculise. Il est tellement plus facile de gouverner un peuple crédule qu'un peuple réfléchi ! Je serais très fâché, en « rationaliste militant » que je suis, de paraître avoir retourné ma veste. J'affirme ici qu'il n'en est rien. Et que, s'il y a des fantômes dans ce roman, c'est seulement parce que, d'abord, la poésie a tous les droits ; à commencer par celui d'inventer des choses qui n'existent pas. Ensuite, parce qu'il n'est pas sûr que mes fantômes soient aussi fantômes qu'ils en ont l'air : peut-être ne le sont-ils qu'en apparence — c'est même, justement, ce que discutent mes personnages. Et, en ce sens, mon rationalisme indéfectible y montre plus que le bout de l'oreille. Enfin je tiens qu'un des offices du roman d'imagination a toujours été de servir d'exutoire aux aspirations chimériques de l'esprit et du cœur : les assouvir par la lecture épargne d'en affronter le néant dans la réalité. Si des lecteurs tentés par le surnaturel trouvent assez de charme à mes inventions pour satisfaire leur appétit de merveilleux, peut-être n'iront-ils pas vainement les chercher ailleurs. Et ce sera autant de gagné contre l'irrationnel. Voilà bien des excuses. Mais allons ! soyons franc : elles sont de surcroît. Et la vérité vraie, la simple vérité, c'est que je me suis, en écrivant ces fables, tout bonnement accordé, en ne pensant ni à bien ni à mal, le droit de me faire plaisir.

VERCORS

Où sont nos amoureuses ?
Elles sont au tombeau.
Elles sont plus heureuses
Dans un séjour plus beau.

Gérard de Nerval

Chapitre Premier

« Moi... » commença-t-il — et je souris dans ma barbe. Si le moi est haïssable, combien nous l'étions tous, autour de cette table couverte des ruines d'un souper de garçons ! Dans l'excitation de la bonne chère arrosée de bons vins (des vins de France), les « Moi... » s'interrompaient impatiemment les uns les autres : des « Eh bien moi, l'autre jour... » ou des « Moi, dans de telles circonstances... » coupaient des « Moi, eh bien, je vous dirai... », des « Moi, tout au contraire... » auxquels je me surprenais à réagir par un « Eh bien moi, je me tais » mi-sage, mi-vexé. On en était à crier pour se faire entendre. Ma voix est un peu sourde et j'ai du mal à l'imposer.

Donc : « Moi... », commença-t-il, et il y eut un silence, afin de le laisser parler. C'était curieux. D'où Hermangard tenait-il son prestige ? Pas de son âge : nous étions tous dans la trentaine, et tous célibataires. S'il tranchait sur nous autres, c'était par sa réserve. Il parlait peu. Mais s'il ouvrait la bouche, immédiatement on l'écoutait. Et il pouvait alors, pendant des heures, tenir son auditoire sous le charme, sans être interrompu. Je n'ai jamais élucidé ce qui en lui nous intimait cette déférence.

Sa voix peut-être : elle était chaude et musicale. Une belle voix est un don du ciel, un don inestimable. Elle tient lieu d'arguments, tellement l'on est tenté de lui donner raison. C'était très sensible entre nous. Tous les neuf sortis de la même école d'ingénieurs à Viborg, en Jutland, et heureux de nous retrouver autour de la même table qui, douze années plus tôt, en 1860, au soir de l'examen où nous avions conquis nos diplômes, nous vit joyeusement nager dans une orgie organisée. Pour ma part, cette orgie ancienne, ce n'était pas pourtant un tellement bon souvenir. J'étais généralement sobre, et n'avais encore jamais pris de cuite de ma vie. Pour ne pas être en reste ce soir-là, j'avais défié les autres à qui boirait autant et aussi vite que moi. Il s'en était suivi comme attendu une ivresse brutale, dont je me félicitai d'abord, croyant constater avec plaisir que j'avais le vin gai. Après minuit, nous sortîmes du restaurant sur le boulevard, braillant et titubant. Et je commençai de déchanter. Car l'affluence était grande à la sortie du Hof Théâtre et je me donnais en spectacle. Je hurlais, chantais, trébuchais et un double resté raisonnable subsistait en moi qui observait avec la plus vive réprobation ces excentricités et me soufflait :

« Arrête ! Tiens-toi un peu, tu te rends ridicule », mais l'autre moi-même ivre en était incapable, chantait et valsait de plus belle, lançait aux personnes du sexe des plaisanteries scabreuses dont mon double sévère s'indignait, impuissant, avec consternation. Puis un soudain bouleversement avait secoué mon estomac, et je me retrouvai dans le ruisseau, vomissant tripes et boyaux. Ce qui, sans me dégriser, me réunit cette fois en un seul homme, entièrement accablé par son indignité. Mes camarades m'avaient relevé, ils m'aidaient à marcher au milieu d'une foule que j'apercevais mal, et je ne cessais de répéter que je m'étais déshonoré. Je parlais de suicide. L'un deux m'engouffra avec lui dans un fiacre découvert qui me promena le long du port, j'y repris quelque conscience et un peu de sang-froid. Je pus enfin rentrer chez moi par mes propres moyens et je dormis douze heures, comme un plomb.

Ayant ainsi reconnu que j'avais l'ivresse plutôt pénible, je fus à jamais préservé de l'envie de recommencer. Peut-être mes compagnons furent-ils de leur côté assez impressionnés par mon état pour se garder eux aussi, ensuite, de ce genre d'excès. Lors de chaque rencontre, nous n'en étions pas moins bonnes fourchettes, bons buveurs — mais sans jamais nous laisser emporter au-delà des limites raisonnables. Et nous savions atteindre une humeur des plus gaies sans lui permettre de dégénérer en entraînements incontrôlables.

Toutefois, pour peu que se prolonge, chez nous

autres Danois, une gaieté entre deux vins, cette gaieté s'envole ; les vapeurs de l'alcool font naître d'autres vapeurs : nous devenons bientôt mystiques et mélancoliques, aspirés par l'attrait de la mort. Non l'attrait du suicide (bien que...) , mais celui de la Mort, avec sa faux et son sablier. Alors, les recoins du bistrot, du restaurant, du cercle se peuplent de revenants. Imaginaires ? Sans doute — mais allez savoir... Au bout de peu de temps, de toute façon, ils volent autour de nous, vibrent, nous frôlent. Ils happent notre souffle, nos paroles et les investissent. Bientôt ils sont les maîtres, et nous ne parlons plus que par leur voix.

Et donc : « Moi... » dit Hermangard, et nous nous tûmes pour l'écouter. Mais il eut l'air de ne plus savoir ce qu'il voulait nous dire. Ses yeux un peu embués regardaient devant lui, ou plutôt ne regardaient rien. Il murmura : « Pauvre garçon... », et nous comprîmes qu'il allait nous conter quelque histoire, mais qu'il était, d'abord, en train de la revivre. Nous le vîmes frissonner. « Bon sang, quel mauvais temps ! » dit-il avec un rire — ce genre de rire qui nous échappe quand se rappelle à nous le souvenir d'une épreuve de longtemps surmontée, et d'autant plus comique à distance qu'elle fut sur le moment plus critique. « Dans nos pays, continua-t-il, nous y sommes habitués : il pleut trois jours sur quatre. Mais nous sommes en ville. » Quoique le tour fût un peu elliptique, il était clair que ce mauvais temps-là l'avait surpris en pleine campagne et quand, un peu plus tard, notre imagination fut appelée à le rejoindre sur une route norvégienne, grimpant sous cette averse le long d'un fjord dans la forêt, nous l'y avions quasiment précédé. Mais je l'y croyais à pied. Il était en voiture. Se décrivant bien à l'abri sous la capote de toile cirée, les genoux enveloppés d'un plaid, tenant les rênes d'un cheval entouré de vapeur, la bête étant tout en sueur dans l'air froid. « La route grimpait roide, disait-il, dégoulinante de pluie, et le petit cheval peinait. Je l'ai arrêté un moment, le temps qu'il reprenne des forces. Je n'étais pas pressé. J'aime l'odeur du cheval transpirant sous la pluie, l'odeur du cuir mouillé, l'odeur même du crottin. J'étais attendu à dîner dans un rendez-vous de chasse d'où nous devions, le lendemain matin, partir pour traquer l'ours. J'étais donc très « confortable », chaudement vêtu sous un paletot de loden en forme de macfarlane, et porteur de tous les outils de chasse nécessaires pour ce genre d'aventure, cordes, couteaux, pistolets. Une carabine de précision gisait dans son étui, derrière moi, sur le plancher. Eussé-je été moins armé, je n'aurais pas trop aimé cette halte, tout seul, au fond des bois. Non qu'en Norvège les routes ne soient assez sûres, même les plus désertes. Les détrousseurs de diligences sont rares. Il arrive pourtant qu'on en rencontre. Aussi, dès que le cheval m'a paru reposé dans les brancards de la vieille voiture...

— Une voiture à vous ? demandai-je.

— Non, non : de location. Une rustique carriole

qu'en vue de ce déplacement je m'étais procurée à
Stavanger, en débarquant. Quelle équipée, mes bons
amis ! reprit-il en allumant sa fameuse pipe à tête de
Gustave-Adolphe — et cela présageait que nous
aurions à l'écouter longtemps. Mais, comme il conte
fort bien, nous prenions plaisir même aux moindres
détails. Tel l'aspect ruisselant d'une route qui
devenait étroite et rocailleuse.

Néanmoins, disait-il, le petit cheval trottait
courageusement, à bonne allure. Loin au-dessous
s'apercevait le magnifique Randsfjord, il prenait sous
la pluie les tons miroitants de l'ardoise ; même les
petites maisons semées sur le rivage, comme des
jouets, perdaient là-bas leurs vives couleurs : gris le
blanc des murs en rondins, gris le rouge des toitures.
Il s'en montrait d'ailleurs de moins en moins, à
mesure que je gagnais de l'altitude. Déjà l'élégance
des bouleaux faisait place à l'auguste tristesse des
conifères. Tout autour de moi, les hautes collines
boisées se couvraient d'un brouillard épais. Seules
émergeaient les silhouettes rigides des sapins
fantomatiques, pressés comme, dans la brume, les
mâts d'une flotte immobile. La lumière peu à peu
faiblissait avec le jour et je souhaitais vivement arriver
bientôt. Vous connaissez ce sentiment, quand on
ignore quelle distance il reste à parcourir. Et c'est
alors, bien sûr, que par-dessus le marché on
s'aperçoit qu'on a perdu sa route. J'ai vu celle où
j'étais, à ma surprise inquiète, s'engager dans un
défilé tortueux, et subitement se mettre à descendre

vers une vallée inattendue. J'avais dû me tromper à quelque croisée de chemins. Et la nuit qui tombait, sur ce rideau lugubre de montagnes sauvages ! Et l'averse qui ne cessait pas, qui même redoublait de violence ! Je me suis vu mal parti, je pestais, mais que faire ? Il ne me restait qu'à tourner bride, et à demander à mon canasson de gravir dans l'autre sens la route rocailleuse, ravinée par la pluie. Tout exténué qu'il fût, il s'y employa avec vaillance ; mais d'un effort trop brusque. La carriole vétuste était mal suspendue, comme toutes celles que loue la compagnie de Store Stangdale ; les harnais étaient vieux. De sorte que, une roue s'étant embourbée dans l'ornière détrempée, sous la secousse, un des traits s'est rompu. Et voici ma voiture immobilisée, sous les sapins sinistres, loin de tout hameau où je pusse quêter abri ou réparation...

— Ouille-ouille-ouille ! s'exclama Knud qui aimait rire.

— Oui, cela vous amuse, mais vous pouvez m'en croire, moi je ne riais pas. Allais-je devoir passer la nuit dans cette voiture ? L'impatience m'a pris, j'ai caché valise et fusil sous la bâche, mis le cheval au licou, et je suis parti à pied avec mes deux pistolets. Mon espoir était de trouver peut-être quelque exploitation qui me prêterait de quoi réparer les harnais, et si possible un cheval de secours pour aider le mien à nous débourber. J'ai dû marcher ainsi au moins une heure, qui m'a paru bien longue. Rien en vue. Et le sous-bois se faisait nocturne. Enfin, quand justement j'allais désespérer, je distinguai entre les arbres l'entrée d'un chemin étroit. Il paraissait mener vers les hauteurs. J'y trouverais peut-être l'exploitation souhaitée ? Maigre espérance, mais il ne me restait rien d'autre à faire. Je m'y engageai donc. Les ornières ruisselaient en glougloutant mais, entre elles, le sol résistait sous l'herbe. Le chemin serpentait parmi les sapins gigantesques, la pluie y tombait moins drue et j'avançais en hâte, mais toujours rien, rien, rien. Il faisait déjà nuit. Et c'est alors que j'aperçus une lumière éloignée.

— Ouf ! dit Knud.

— Rien de plus réconfortant, c'est vrai, quand on s'est égaré dans la nuit, la forêt, la montagne, que l'apparition d'une lumière annonçant un hameau, une présence humaine. Mon angoisse disparut. Sans plus me presser, j'ai parcouru un dernier mille et me suis enfin trouvé devant une maison. Elle m'a un peu déçu : seule, et rien alentour qui pût faire espérer une exploitation. Du moins y trouverai-je un abri. Quand je me suis approché, j'ai découvert une construction étrangement élégante, vu son isolement au sein des monts sauvages du Dovrefeld. Un porche à colonnettes s'ouvrait entre des lambris de pitchpin verni. Des fenêtres à l'anglaise éclairaient devant elles un gazon bien rasé, assez surprenant dans cet environnement farouche. J'ai frappé. Pas de réponse. Sans hésiter j'ai poussé la porte fermée seulement au loquet : l'hospitalité est constante en Norvège.

Et me voici tout seul dans une pièce boisée,

chaude, intime, confortable. Peu éclairée : une lampe
à pétrole sur une grande table épaisse et luisante, avec
un banc de chaque côté ; une autre sur un dressoir
aux portes massives de châtaignier, et c'était tout.
Dans cette pénombre, un gros poêle de faïence, à la
prussienne, chatoyait sous cette lumière douce. Sur
un divan, la belle fourrure blanche d'un ours polaire.
Un des longs murs était garni de livres. Deux sièges
profonds jouxtaient une table basse, sur laquelle une
pipe fumait encore dans un cendrier : on venait donc
de quitter cette pièce. Sur d'autres meubles
s'apercevaient divers objets, trop nombreux pour que
l'œil les identifie tous, dont une croix de pierre
inattendue, pouvant provenir d'un cimetière ;
quelques tableaux, peu visibles dans l'ombre ; il
émanait de tout cela un confort chaleureux. Je me
suis dit que j'étais bien tombé.

Par courtoisie je n'osais pas me défaire de mon
manteau, de mon écharpe, avant que ne fussent
apparus les habitants de cette demeure. Mais rien ne
bougeait. Pas un bruit. Je toussotai, pour manifester
ma présence. Le silence, en se prolongeant,
commençait à me troubler un peu. Cette immobilité
me devenait pesante. Mes pieds foulaient à l'aise la
haute laine d'un tapis épais, le poêle ronflait, je
tendais à sa chaleur mes doigts froids et humides,
mon corps se sentait bien. Mais mon âme était
incertaine.

Ce fut d'ailleurs fugitif. J'ai entendu des pas
derrière la porte épaisse. Des pas légers, mais lents.

Très lents. Comme fatigués. La poignée a tourné. J'ai vu entrer un homme grand et mince, aux cheveux gris presque blancs, et bouclés. Le regard m'a frappé d'emblée : clair, mais voilé de tristesse, sous une paupière tombante qui lui donnait je ne sais quelle évidence d'être tourné vers l'intérieur. Le cou nu, rond, puissant, sortait d'une chemise de trappeur, au col ouvert. Le pantalon de velours s'enfonçait dans des bottes élégantes de cuir souple, où le pied devait être à l'aise. Il m'avait entendu entrer, car il dit simplement : « Bienvenue », et s'en fut lever la mèche des deux lampes. La pièce s'est éclairée. En guise d'excuse, j'ai entrepris de lui conter avec humour mes aventures. J'ai vu ses lèvres bien dessinées, charnues mais un peu pâles, se marquer d'un pli qui pouvait être interprété comme un sourire. « Je vous aiderai demain, dit-il, à retrouver votre route. Défaites-vous. On va s'occuper de vos bagages. Voici du cognac, une pipe. Je suis un vieux soldat, je sais combien alcool et tabac aident à supporter un bivouac humide, et vous êtes trempé. Réchauffez-vous. »

Il s'est retourné pour traverser la pièce, ouvrir la porte, donner des instructions concernant mon cheval et ma voiture. J'observais avec quelque surprise ces boucles presques blanches sur une nuque qui restait juvénile. Le profil était pur, légèrement aquilin. Une ride profonde traversait la joue. Avait-il trente ans ou soixante, une vieillesse bien conservée ou une jeunesse flétrie avant l'âge ? La voix était sourde — ou plutôt assourdie, comme s'il eût craint de réveiller quelque personne dormant dans une autre pièce .

Il retournait vers moi quand je venais de me débarrasser de mon écharpe et de mon bonnet de fourrure. Je l'ai vu s'arrêter, soulever les sourcils. Il n'a rien dit sur le moment, comme s'il doutait d'abord de son propre regard. Puis ses mains s'avancèrent, tandis qu'en ses yeux tristes une lueur brillait. Il fit un pas et une surprise heureuse allongea son visage tandis qu'il s'exclamait : « Olof Hermangard ! Mon cher ami ! ».

Il y avait de la joie dans ce cri, j'en suis certain, bien que ses traits ne se distendissent guère. Cet homme était-il donc incapable de sourire ? Je l'examinai mieux. Alors seulement je me suis dit que ce visage peut-être ne m'était pas inconnu. J'étais cependant incapable, comme on dit, de lui donner un nom. L'homme a bien vu cette hésitation et, m'ayant rejoint à grandes enjambées, il est venu m'étreindre les épaules de ses deux mains nerveuses, et ses yeux balayaient mes traits avec chaleur, avec tendresse. Avec la même tendresse effervescente il dit : « M'avez-vous oublié ? Oublié tout à fait ? » Et pour abréger tout de suite mon embarras : « Ne vous souvenez-vous vraiment pas de Karl Holberg, des Gardes Danois ? » Ce fut un trait de lumière. Aucun de vous n'a connu cet Holberg ?

— Non, avouâmes-nous, en chœur.

— Forcément, dit Olof. Il est sorti d'une autre Ecole, celle des Cadets d'Aarhus, et votre carrière

d'ingénieur avait peu de chance de croiser la sienne.
Je l'avais rencontré par hasard des années
auparavant, chez le comte Hjörnsen, à l'époque où la
comtesse multipliait les bals dans son château près de
Roskilde, dans l'espoir de marier sa fille. Je revoyais
soudain la grande salle étincelante de chandelles,
trois lustres de cristal au-dessus de nos têtes... Le
parquet est luisant, de bois précieux multicolores...
L'orchestre joue une valse, les gens dansent... Il y a
un grand rideau rouge frangé d'or — Dieux ! que cela
est loin ! Combien ? douze, quinze ans ? — Il y a ce
rideau et, derrière, sans le vouloir j'ai découvert la
pauvre petite en larmes. J'ai pensé : « Cet Holberg
est vraiment cruel ». Mais est-on cruel à vingt ans,
quand on est beau et brave, brillant lieutenant de la
Garde recherché par toutes les dames de la cour ? Un
sourire, une gentillesse, et que n'en croirait pas une
jeune fille un peu exaltée ? Je sais qu'en ce moment il
trinque, publiquement, les yeux dans les yeux, avec la
jeune princesse de Winterheld. Presque un scandale.
Il soulève lentement sa coupe pétillante et la princesse rit, un peu pâle...

Toutes ces images me revenaient d'un coup, à
peine fanées par le temps. Je revoyais cette belle tête
virile, les boucles alors d'un noir de jais, comme sur
les portraits du prince Murat. Ces boucles à présent
grises devant moi.

« Si je me souviens de vous ! m'écriai-je en lui
rendant son étreinte. Holberg des Gardes Danois !
C'était un homme qu'on n'oublie pas... »

« C'était ! » a-t-il répété vivement puis — cette fois avec lenteur et mélancolie — il a dit de nouveau : « Oui, *c'était...* » Moi-même je me suis revu à cette lointaine époque, heureux, léger, et le fin visage un peu étonné de ma petite ballerine du Hof Théâtre me sourit à travers la brume du temps, une larme tremblant au bord des cils. Un flot de douceur triste envahit mon cœur. Nous avions tous été cruels. Je me secouai. « Ma foi ! me suis-je écrié, j'avoue que j'avais oublié que vous étiez encore de ce monde.

— En suis-je encore , murmura-t-il, comme s'il se posait la question. Parfois je n'en suis pas sûr. Vous me voyez sur cette montagne, exilé, confiné au fond de ces bois... Oh ! je ne me plains pas, j'y suis parfaitement heureux ! » rectifia-t-il avec une hâte si impétueuse que j'en restai saisi. Il semblait craindre d'avoir commis un impair, blessé quelqu'un ; son visage, ses yeux agités, inquiets, parurent effectivement redouter que ses propos eussent été surpris. Je me demandai s'il était marié, si sa femme, dans une pièce voisine, était à portée d'oreille.

« Vous vivez seul, ici ? » m'exclamai-je assez maladroitement.

L'effet de cette question fut presque incroyable. Il me tourna brusquement le dos et fit quelques pas. Puis il revint vers la table où il avait laissé sa pipe. Il la saisit pour la vider, la secoua nerveusement contre le cendrier, prit du tabac, abandonna le tout, esquissa encore quelques pas, en rond, à travers la pièce. Et puis enfin il me fit face et, en guise de réponse, secoua la tête. Mais d'un mouvement, un hochement si crispé qu'il me fut impossible de savoir ce qu'il signifiait. Etait-ce un oui ou un non ? Préférait-il ne pas répondre ? Je suis un homme discret. Je n'osai pas insister. Quand même, c'était plutôt bizarre. J'étais porté à conclure qu'il ne devait pas être tout seul ici, mais ne pouvait se résoudre à confier ou admettre certaine présence auprès de lui. Qui cachait-il ? Une maîtresse ? Mais pourquoi la cacher ? Risquais-je de la connaître ? Un tohu-bohu alors de souvenirs vint heurter ma mémoire, comme un vol de mouettes contre un phare, confus, impétueux, fugace, où se mêlaient des fiançailles, la douce Margarete, une rupture publique, la fuite inexplicable et cette étrange disparition... Avait-il donc filé avec une femme ? Quel genre de femme, ou bien mariée à qui, pour qu'il fût venu se cacher avec elle dans ces bois ? Tandis qu'ainsi ma tête allait bon train, je le voyais, lourdement, sans prononcer un mot, s'asseoir dans l'un des fauteuils. Je me suis assis dans l'autre. Il m'a regardé d'un œil presque suppliant. « Changeons de sujet », semblait-il dire. Je remis à plus tard, non sans regret, les questions qui se pressaient sur mes lèvres et, sentant qu'il ne briserait pas lui-même le silence, je demandai : « Est-ce vous qui avez fait construire cette maison ici ?

— Non, non, dit-il, je l'ai seulement aménagée.

— Vous y vivez depuis longtemps ?

— Depuis quinze ans », dit-il, et il n'ajouta rien. J'ai attendu. Mais il ne semblait guère désireux de poursuivre . A nouveau, je n'osai insister. Il a dû néanmoins deviner en moi quelque légère humeur, car il a repris : « J'y étais venu me remettre d'une blessure reçue au combat. J'y suis resté. Voilà.

— La blessure reçue à Instedt ?

— Ah ! vous vous souvenez ?

— Avez-vous, dis-je en souriant, oublié à votre tour ? C'est moi qui, certain soir, fus chargé d'épingler sur votre dolman la Croix du Daneberg.

— Oui, en effet », dit-il d'un ton résolument distrait, assez surprenant lui aussi, comme si ce fût sans importance, ou qu'il n'aimât pas trop évoquer cette cérémonie. Décidément, toute conversation était bien difficile, avec cet ermite ! Déjà, il ouvrait la bouche pour, visiblement, encore une fois changer de sujet, quand son visage s'est brusquement crispé. Ses yeux se sont écarquillés. Sa main droite, jusque là mollement posée sur la table, s'en est retirée d'un mouvement si précipité qu'on l'aurait crue brûlée au fer rouge. Puis, lentement, elle est revenue se poser, la paume en l'air, à la même place. L'autre main presque aussitôt, oui, j'ai vu l'autre main aller à sa rencontre, la recouvrir, et puis — vous comprendrez ma surprise — et puis la tapoter, la caresser, comme si c'était la main d'un autre, comme on le ferait sur celle d'un enfant exigeant, afin de calmer son impatience...

Alors j'ai reconnu ce geste.

C'était au cours du dernier bal où l'on eût aperçu Holberg chez le comte Hjörnsen. A l'époque il était presque fiancé à sa fille. Entre temps il y avait eu cette courte guerre avec la Prusse, cette blessure à la tête, une longue convalescence. Je venais d'épingler la Croix sur sa poitrine. Les gens l'entouraient, la jeune Margarete, heureuse, au premier rang. Subitement, il avait eu ce mouvement précipité d'une main qui fuit la flamme, celui de l'autre main pour vivement la couvrir — pour la calmer — tandis qu'avec un « Ah... » de surprise effrayée il faisait deux pas en arrière, comme si quelqu'un l'avait poussé. Je me souviens mal de la suite. Une sorte de farandole de malentendus : on prenait ses adieux hâtifs, auxquels on ne pouvait croire, pour des remerciements aux félicitations qu'il recevait. Puis, tout d'un coup, il n'a plus été là, ayant, comme on s'enfuit, quitté les lieux. Margarete, très pâle, avait dû s'asseoir, prise de faiblesse. « Il ne reviendra pas, répétait-elle. Vous verrez. C'est fini. Il ne reviendra plus. Je le sais. Je le sais. » Sans vraiment la croire, nous nous efforcions de la réconforter. Mais nous étions émus, tous. Troublé comme à présent je l'étais à nouveau, quinze ans plus tard, dans cette maison au fond des bois.

Ainsi cet homme avait quitté le monde, disparu dans une énigme, et je le retrouvais ici après toutes ces années, vivant tout seul (ou non ?) — comme une énigme. C'est vous dire ma curiosité ! Car après sa disparition, ses amis et moi-même avions tenté de comprendre ce qui avait bien pu arriver à ce brillant officier, qui s'était distingué à Instedt. Nous avions récolté peu de chose. Et vous savez comment sont les jeunes gens : il leur faut peu de temps, quand l'un d'eux disparaît, pour oublier le disparu. Pendant ces quinze années, je n'avais plus guère pensé à lui.

Je cherchais comment faire repartir cet entretien que, sans cesse, il laissait mourir. Je n'osai tout de suite lui reparler de Margarete. Savait-il qu'après cet abandon, elle s'était faite nonne ? J'ai dit : « Vous avez bel et bien disparu. C'est donc ici que vous vous êtes enterré ». Je l'ai vu sursauter, lancer une main en avant comme pour me faire taire ; mais il s'est tout de suite repris, avec un rire bref. « Ha ! Ha, pardonnez-moi, je suis ridicule ; mais, il est de certains mots... Enterré, oui, en somme, vous avez raison. Je me suis enterré : si bien même que parfois, je vous l'ai dit, parfois je me demande si je suis vivant ou mort. » Il s'est versé un grand verre d'eau-de-vie et de soda. « J'ai rompu toutes les amarres avec le monde », dit-il. Et détournant les yeux, il fixait le bout de ses bottes.

« Vous n'êtes pas le seul à l'avoir fait », ai-je murmuré et, cette fois, je l'ai fermement tenu sous mon regard. Lentement, il a reposé son verre. Sa main tremblait, le verre tinta sur le bois dur. J'ai vu, avant qu'il ouvrît les lèvres, l'effort qu'il devait faire pour parler et qui fit tressaillir un peu les commissures. Enfin il a réussi à dire d'une voix faussement flegmatique : « Margarete est-elle toujours belle ?

— Les murs de son cloître le savent », ai-je répliqué sans violence.

Mais je n'étais pas fâché de lui apprendre ce qu'elle

était devenue, à cause de lui. J'ai vu sa main glisser le long de la table, comme s'il avait voulu enlever la poussière. « J'ai été bien coupable, reprit-il avec gravité. Mais pas comme vous le croyez. Oh non, oh non ! pas du tout. Vous pensez, j'en suis sûr, que ma fuite était une lâcheté ?

— Margarete vous aimait, murmurai-je.

— Et c'est là mon pardon. J'ai cru l'aimer en retour. Mais ces fiançailles, quand la guerre venait d'éclater, étaient une folie. Je ne l'ai pas aimée vraiment, Dieu m'en est témoin ! » s'écria-t-il, comme si d'aimer eût été une faute dont je l'eusse accusé. Etrange, cela aussi. « J'ai cru, dit-il, j'ai cru que son amour pour moi me sauverait de moi-même. Je l'ai espéré, vraiment. Ma dissipation pesait sur ma conscience. Je traînais trop de viles aventures comme une besace pleine de choses mortes. Mais je manquais de caractère, tout était trop facile pour résister à mes entraînements. Oh ! vous le savez bien, Olof Hermangard ! Mon affection pour Margarete datait de notre enfance. J'ai cru voir mon salut en elle, en ce mariage. Elle était la première à l'avoir compris. Pas vous ?

— Si. La première à le comprende et à l'admettre : à cause de son amour pour vous, Karl Holberg, n'ai-je pu m'empêcher d'ajouter.

— Vous me jugez sévèrement, dit-il. Et vous avez raison. Parce que vous ne savez pas. Margarete n'a rien su non plus, comment l'aurait-elle pu ? Personne n'a rien su. Ah ! dit-il de façon subitement plus nerveuse, précipitée, ne me jugez pas, Olof, sur l'apparence ! J'étais honnête. Je n'avais rien offert que je ne crusse pouvoir tenir : l'affection, la tendresse — et la fidélité. Croyez-moi, croyez-moi : je n'aurais rien promis si je m'étais senti capable encore d'aimer un jour ailleurs. Mais à tout jamais je me croyais devenu insensible, invulnérable. J'avais connu et gâché trop d'amours éphémères pour craindre — pour espérer — d'en éprouver un seul encore qui fût durable. Mon cœur était desséché. A quoi eussé-je aspiré, sinon à une affection tendre ? Je n'avais pas d'amour pour Margarete, je l'aimais comme une sœur mais, vraiment, je l'aimais beaucoup. Et je croyais, j'étais sûr que, jamais... » Sur quoi, s'interrompant, il a laissé son menton tomber sur sa poitrine. Et il s'est tu longtemps avant de murmurer : « Je le croirais encore, s'il n'y avait pas eu la guerre. »

Mais moi — continuait Olof — moi je me souvenais, et c'était différent. Je me rappelais sa joie, sa gaîté quand la guerre éclata et qu'il fit ses adieux. Certes, un jeune officier ardent, ambitieux, a des raisons de se réjouir quand il part au combat. Mais je sentais, devinais autre chose. Car enfin : fiancé depuis une semaine ! Juste au moment de se marier ! Et de partir il se montrait heureux ! Holberg lut-il ce souvenir dans mes yeux ? Je le crois, car il dit : « Oh ! c'est bien vrai. Mes sentiments étaient : délivrance. Les larmes de Margarete, si elles m'ont touché, n'ont pu noyer mon plaisir. J'étais soulagé de la quitter. J'aurais dû dès alors comprendre ma folie », dit-il en hochant la tête. Elle, petite fille courageuse tant que les amis étaient présents, avait trop bien compris. Et, dès que sur les talons du jeune officier tous furent partis sauf moi, je l'avais vue laisser aller, avec fatigue, sa tête sur le dossier : « Il me préfère la guerre, je le sens bien. Ah, je devrais peut-être lui rendre sa liberté...

— Mais non, il vous adore ! ai-je dit, en tisonnant le feu, par contenance.

— Oh ! il adore son chien aussi », soupira-t-elle, et je ne trouvai rien à répondre, tant c'était vrai.

« La guerre... » entendais-je cependant à travers ces souvenirs ; et ces mots murmurés me ramenèrent au présent. « Comment le nier, oui, j'ai aimé la guerre comme on aime une femme. Et Margarete avait disparu de mes pensées. Tout à fait disparu ! » a-t-il répété vivement, et cette vigueur inattendue m'a fait sursauter, tant en était absente la moindre nuance de contrition — et ce sursaut l'a fait sourire. D'un sourire désolé, évanescent. « Peut-être, dit-il de sa voix de nouveau tranquille et assourdie, peut-être me serais-je avisé avec remords de cet étrange oubli, si j'en avais eu le temps. Mais nous avions marché six jours par étapes très dures. Et tout au long je n'avais pas cessé de me sentir le cœur léger. Vous avez connu Krogh ?

— Le général ?

— Oui. Il avait juré d'avoir la peau de Willisen. Et pour finir il l'eut, avec celle de tous ces Holsteiners pangermanistes. Seulement...

— Ne fut-il pas lui-même très abîmé ?

— Très grièvement blessé, mais plus tard. C'était un homme trop impatient. Il était imprudent de nous engager à Instedt, avant que la liaison fût établie avec les autres régiments. Mais il voulait sauter sur l'occasion. Il nous envoyait droit devant nous, pour déborder l'aile droite de Willisen et le prendre à revers de l'autre côté de Vordingborg — le château, vous savez . Pendant ce temps, le centre serait percé et les batteries enlevées à la baïonnette. La manœuvre était belle mais elle était aventureuse. » Pour la première fois je l'entendais parler de sa voix naturelle, avec toute sa clarté, son assurance. Je retrouvais le jeune officier d'élite, précis et résolu.

« Nous étions en flanc-garde. Ah, vous ne pouvez savoir combien j'ai aimé ce métier ! s'écria-t-il avec une sorte d'ardeur douloureuse. Je me félicitais même du côté hasardeux de l'opération, qui dépendrait beaucoup de ma rapidité. Et mon bataillon progressait, en patrouilleurs, sur cette lande brûlée, masqué par le bois touffu où nous savions que s'abritait la cavalerie ennemie. Mais c'est alors qu'à l'improviste nous avons été pris sous le feu des canons. Nous avons dû nous abriter dans un fossé pour attendre un répit. Avec, sous les yeux, le pivot de la manœuvre, Vordingborg, le château, reflétant ses tourelles dans l'eau noire de l'étang...

— Et... demandai-je, car il n'ajoutait rien, c'est à cette occasion que vous fûtes blessé ?

— C'est à cette occasion. »

J'attendis. Car je savais aussi une bonne part de la suite, je la savais de sa propre bouche. Et pourquoi, me disais-je, pourquoi évoquerait-il de nouveau ces souvenirs, si ce n'était pour en venir à celui, passablement funèbre, qui lui avait valu sa Croix ? Mais j'attendis en vain. Il s'était tu et paraissait rêver, sombrement. Et moi je réentendais la voix cassée du vieux duc de Laësoe, auprès duquel, après l'étrange disparition d'Holberg, j'étais venu aux informations. Le duc m'avait reçu dans sa riche demeure de Copenhague, parce que, depuis que sa fille était morte d'une maladie de poitrine, il ne pouvait plus supporter, disait-il, de vivre à Vordingborg : « A mon âge, que voudrait-on que je fasse dans ce château qui sent la mort ? Même notre brave comte Hjörnsen ne peut plus vivre à Roskilde depuis que Margarete a pris le voile. Pourtant, son fils cadet est toujours là-bas. Tandis que moi je n'ai plus personne à Vordingborg. Que voulez-vous, je fuis ces lieux. Ils sont trop hantés de violence. Sans l'héroïsme du jeune Holberg, qui sait même si ma pauvre enfant reposerait en paix ? C'était ma faute aussi. Jamais je n'aurais cru que les dragons de Willisen fussent si près du château. Je ne me doutais de rien, n'est-ce pas. Comme un vieux sot désespéré, resté seul à pleurer au coin de ma cheminée. Et si Holberg n'avait pas chargé... » Il hochait sa tête chenue en murmurant : « Quel vieil idiot, quel vieil idiot... » Et moi je revoyais par l'imagination la scène ahurissante, cent fois racontée par Holberg après son retour. Le champ de bataille déjà jonché de morts et de blessés, sous l'artillerie prussienne qui balayait tout le terrain autour de Vordingborg ; Holberg et l'une de ses compagnies tapis dans un fossé, sous les boulets, tandis qu'une autre, là-haut, embusquée dans le cimetière derrière la vieille chapelle, attendait l'ordre d'ouvrir le feu pour soutenir la progression. Et c'était là, dans cet arroi de troupes et de fumées, sur ce champ de bataille, sous les nuages noirs qui roulaient vers un orient plus noir encore, que s'avançait au pas, par la route de crête menant du château au cimetière, juste sur le flanc d'Holberg, et se détachant en silhouette sur le ciel, un corbillard couvert du drap blanc des vierges, suivi des enfants de chœur avec leurs cierges allumés, accompagnés de chants liturgiques !

« Pouvez-vous imaginer cela ? nous avait raconté Holberg à son retour. Imaginer pareille apparition. Ce cortège funèbre s'approchant d'une allure compassée, chargé de fleurs, de couronnes ducales, et les dames d'honneur en deuil solennel, portant des gerbes d'immortelles et de roses blanches — tandis qu'à une portée de fusil, je voyais surgir des arbres, sabre au clair, les premières vagues des dragons ennemis. Vision de folie ou de cauchemar ? Mais je ne m'attardai pas à me frotter les yeux. Les cavaliers chargeaient. Je me figurai d'avance l'horrible tableau : le convoi piétiné, la bière renversée, s'ouvrant dans la boue sous les sabots des chevaux... la morte dilacérée dans son linceul... »

L'effroi de cette vision avait déclenché en lui un réflexe de militaire :

« Je lançai mes hommes en avant », dit-il comme une compassion naturelle, et son bras avait balayé l'espace devant nous, et d'en suivre l'ombre agrandie sur le mur, l'ombre rapide et imprécise, j'avais senti, vraiment, passer le souffle de la charge.

Plus tard, le vieux duc, à qui, bien entendu, je reparlais de cette charge, à qui je vantais cette audace, le risque pris, le vieux duc me disait : « C'est vrai : un risque considérable, et je dois à Holberg une profonde gratitude. Dieu sait sans lui ce qui serait arrivé ! Ma sœur se trouvait dans le convoi — et le curé, les dames, tous ces enfants ! Ç'aurait pu être un carnage.

— Il l'a détourné, le carnage, sur lui et sur sa troupe, avais-je dit gravement. Croyez-vous, demandai-je, que sa blessure était plus sérieuse qu'on ne pensait ?

— C'est ce que je n'ai guère cessé, voyez-vous, de me dire. J'ai des remords. Je ne l'ai pas tellement bien reçu quand il est venu chercher secours à Vordingborg. J'étais enfoncé trop profond dans la douleur et dans l'effroi. Dans la douleur d'avoir perdu ma fille et, sachant le convoi funèbre sur la route, dans l'effroi de l'explosion subite de la bataille. Et puis, je dois l'avouer, j'étais plutôt favorable, en ce temps-là, aux Holsteiners. De sorte que, n'eût-il été blessé, cet officier, ce Holger Danske ne m'aurait inspiré que peu de sympathie. D'autant moins que, chez le comte Hjörnsen, je n'avais guère apprécié sa conduite, son attitude irresponsable à l'égard de Margarete. Mais quand ensuite j'ai cru qu'il allait mourir...

— Comment est-ce arrivé ?demandai-je.

— Il est tombé de son fauteuil, sans crier gare. Je lui parlais de ma fille, ma pauvre enfant, ma petite morte, de quoi aurais-je pu parler ? Subitement je l'ai vu devenir plus pâle qu'un pot d'albâtre. Puis, sans rien dire, il a glissé — et ensuite il a dormi, je ne sais combien de jours.

— Dormi ? Sans s'éveiller ?

— Oui. Dormi. Ou tout comme. Il lui arrivait bien, de temps en temps, d'ouvrir les yeux, mais sans rien voir, de se lever, de marcher, de parcourir le château, mais comme un somnambule. Avec sa tête bandée, c'était impressionnant. Il ne reprenait pas conscience. Les médecins n'y comprenaient rien. La blessure pourtant, si elle était sérieuse, n'était pas très profonde, le crâne était intact, de toute façon. Voilà. Et un beau jour, il s'est éveillé tout à fait, et aussitôt s'est incliné devant moi et il a pris congé sans plus attendre. Il paraissait de nouveau absolument normal, n'eût été cette hâte fiévreuse de quitter le château. Je n'ai rien compris à toute cette affaire. Je retiens seulement que c'est grâce à sa bravoure, à son héroïsme, que ma sœur, les dames, le prêtre, les enfants et ma pauvre petite morte ont été épargnés. »

Pauvre duc ! Il répondait bien gentiment à mes questions ; mais il était visible que son âme n'était pas présente. Elle ne fut plus jamais réellement sur terre, je crois. Dieux ! qu'il était petit et mince, tout habillé de noir, au fond du grand fauteuil de cuir... Comme une pitoyable vieille pie qui achève de mourir au coin de sa cage.

Nous tenions ces propos quelques semaines après la disparition d'Holbert, après le fameux bal d'où il s'était enfui, laissant Margarete désespérée. J'avais entendu dire qu'il était en Norvège, y soignait sa convalescence. Mais il n'écrivait pas. Personne n'avait de ses nouvelles. Alors je tentais d'en savoir plus auprès du vieux Laësoe, un des derniers témoins. Par affection autant que par curiosité. Une curiosité que, quinze ans plus tard, ayant par miracle retrouvé Holberg au fond des bois, il ne semblait guère pressé ni anxieux de satisfaire. Puisque après l'évocation du combat d'Instedt, de l'engagement sous Vordingborg et de la blessure reçue, une fois encore il avait laissé le silence s'établir entre nous. Il se taisait et j'attendais. Et j'attendais et il ne disait rien. Alors je me suis décidé enfin à hasarder :

« Mais ce convoi, Karl, ce corbillard... ? » J'espérais le décider à poursuivre. De fait, il leva les yeux, posa son regard sur le mien, longtemps, et il dit — il murmura comme une réponse à mes pensées : « On m'a cru fou, n'est-ce pas ? » Je ne protestai pas.

« Oh ! il y avait de quoi le devenir; de quoi briser l'âme même d'un Holger Danske. Plût à Dieu que je fusse fou, que je le sois encore ! Croyez-vous que l'on puisse être fou durant quinze longues années et le savoir ? Et le sachant, ne rien pouvoir changer à sa folie ? » Il m'interrogeait, anxieusement, mais je ne savais que répondre : que voulait-il dire au juste ? « Ecoutez ! cria-t-il subitement de sa voix assourdie. Il faudra bien pourtant qu'un jour... Et pourquoi ne le pourrais-je pas ? » s'exclama-t-il, et il dressait la tête comme s'il défiait un juge sévère, un juge impitoyable qui lui eût jusqu'alors imposé silence.

Il y avait dans sa voix un sanglot, un vacillement. Il se tourna vers moi. « Vous allez chasser l'ours. Mais ensuite vous repartez ? » demanda-t-il en me saisissant le poignet avec force. J'acquiesçai. J'étais ému et captivé. « Que cela ne transpire jamais en Danemark ! adjura-t-il. Au moins de mon vivant ! » et je levai une main pour le promettre. « Que savez-vous — je vis ses yeux chanceler — que savez-vous de cette histoire de convoi funèbre, comme vous dites ?

— Mais... ce que jadis vous nous en avez conté vous-même, à votre retour de guerre. Et que vous vous êtes conduit avec bravoure.

— Chacun eût fait de même à ma place, dit-il avec simplicité. Qui aurait pu supporter que le convoi...

— Etait-il en si grand danger ?

— Peut-être que non ; mais comment le savoir puisque, ce péril, je l'ai détourné ? Fallait-il en attendre la preuve pour intervenir, par conséquent trop tard par définition ? L'urgence exigeait décision, non réflexion, et encore moins hésitation. Toujours est-il que pendant notre assaut tout le cortège put aller se réfugier dans la chapelle ; et ce

furent quelques-uns de mes hommes là-haut qui des-
cendirent la bière dans le tombeau, la re-
couvrirent de terre. Tout était fait quand, après le
coup de main, nous revînmes en tiraillant nous
retrancher près d'eux, derrière le muret du cimetière.
Nous avons continué longtemps encore à faire feu, et
j'ai eu le plaisir de voir refluer l'ennemi vers le petit
bois, où notre artillerie l'empêcha à son tour de se
regrouper. Mais nous étions nous-mêmes durement
éprouvés. J'ai employé tous mes hommes valides à
porter les blessés jusqu'aux ambulances. J'allais enfin
partir aussi quand une balle perdue, passant par une
brèche du vieux muret, m'a blessé derrière la tête,
juste sous mon bonnet à poils. J'ai eu le temps d'y
porter la main, de sentir mes doigts s'engluer de
sang. Puis le vertige m'a pris, et j'ai perdu conscience.
Tout à fait. »

Il dit et, sans pourtant détourner les yeux, il a paru
se plonger soudain dans une rêverie intense.
Rêverie ? Ses yeux se sont écarquillés un peu, très
peu, comme une fois, déjà. Sa main droite, sur la
table, s'était ouverte puis refermée, avec une lenteur
timide. Comme elle l'eût fait, étrangement, sur un
objet fragile, mais invisible. Il me sembla que le
silence ne serait pas brisé, si je ne le brisais moi-
même. « Le vieux duc... » commençai-je, mais il fit
« non » de la tête ; et si vigoureusement que je me
tus.

« J'ai vu quelqu'un d'autre avant lui, chuchota-t-il
comme s'il me confiait un secret dont il eût craint que

les murs mêmes pussent l'entendre. Et son regard s'appuya sur le mien avec l'intensité de qui veut forcer quelque défense.

— Mais je croyais...

— Je sais : que venant du champ de bataille, où n'étaient restés que les morts, hommes et chevaux, j'avais été tout droit chercher secours à Vordingborg, auprès du duc. Et c'est bien vrai. C'est là que je suis allé. Mais d'abord » dit-il et sa voix redevint chuchotante, et d'une lenteur intense, persuasive, secrète : « ... mais d'abord, je l'ai vue, *elle*. »

Ses yeux vrillèrent les miens, pendant qu'il semblait guetter si le mot me pénétrait bien. Il chuchota encore, avec la même intensité : « Je lui ai parlé. » Et ses yeux m'observaient. Et enfin — après un soupir si profond, si interminable qu'il aurait pu, vraiment, être un dernier soupir — il conclut, à peine audible, du ton dont il m'eût confié quelque forfait honteux : « C'est là toute l'histoire. »

Pourquoi tant de secret, de précaution pour des mots aussi simples ? Je me posais la question quand, d'une tout autre voix, cette fois précipitée, fébrile, comme si quelqu'un le frappait à l'épaule pour le sortir d'une rêverie, je l'entendis (je n'en crus pas mes oreilles) s'adresser à l'air transparent et dire : « Oui, oui, chère âme... » et je vis (de nouveau je n'en crus pas mes yeux) je vis une fois encore sa main gauche hâtivement rejoindre, recouvrir l'autre main immobile sur la table et doucement, doucement la caresser...

Mais tandis qu'ébahi je le regardais faire, je l'entendis reprendre, d'une voix dont il essayait de maîtriser le tremblement : « On m'avait, je ne savais comment, transporté quelque part, disait-il. J'étais encore presque inconscient, et ma blessure restait douloureuse. Mais, pour le reste, je me sentais bien, très bien. Dans un doux état léthargique. Progressivement, je reprenais mes sens. Mon corps reposait mollement sur des coussins. L'air était tiède, mais il devait y avoir quelque fenêtre ouverte près de moi car, malgré les coussins, j'avais le dos glacé. Mes yeux enfin se sont ouverts. Il faisait jour. C'est alors que, derrière la brume qui les voilait, j'ai vu se préciser lentement un doux visage penché sur le mien. Il se détachait, ovale lumineux, adorable, sur la verdure sombre d'une tapisserie... »

Sur quoi Holberg dut deviner la question qui, bien entendu, se pressait sur mes lèvres car il s'écria d'un ton impétueux : « Pour l'amour du ciel, ne m'interrompez pas ! » ; je mesurai alors tout l'arrachement de cette confession : j'étais manifestement le premier à qui elle était faite. « Je ne vous décrirai pas ce visage, reprenait-il en maîtrisant sa voix. A quoi bon ? Il m'a plongé incontinent dans les délices de l'adoration : cet aveu doit vous suffire. En offrant ma foi à Margarete, j'avais cru mon cœur desséché, incapable désormais d'amour et il ne l'était pas, voilà ! Il s'est ouvert à ce visage comme les pétales d'une fleur sous le soleil. Quand deux doigts frais se sont posés sur mon front, au moment que

j'ouvrais les lèvres, et qu'une voix angélique m'a dit :
« Chut... ne parlez pas, ne bougez pas... », je suis
tombé amoureux de la voix comme du visage. » Là-
dessus, Holberg de nouveau s'est tu. Son silence mit
ma curiosité à l'épreuve. Cet épisode, nul d'entre
nous ne l'avait connu. Il nous avait toujours été
caché. Il était facile de comprendre que là devait se
trouver la clé de l'étrange comportement d'Holberg :
et de sa fuite au cours du dernier bal chez le comte
Hjörnsen, et de son abandon de la pauvre Margarete.
En un instant j'imaginai tout un roman, un amour
immédiat doublé de mystère, une liaison inavouable
et cachée, et peut-être la présence furtive, silencieuse,
de cette femme dans la maison des bois, peut-être
même, en ce moment, guettant, écoutant... J'étais
excité et troublé, mais je n'osais pas poser de
questions... Sur ce, la flamme de la lampe, épuisée,
trembla et charbonna, puis s'éteignit. Mais ni lui ni
moi n'avons bougé pour y remédier. La pluie dehors
avait cessé. Une senteur mouillée, pleine d'odeurs de
mousse et de fougères, se levait dans la nouvelle
tiédeur de la nuit. La lune, à travers la longue baie
vitrée, brillait au-dessus des sapins. Les gouttes
suspendues s'écrasaient doucement de branche en
branche. La pâle lueur de l'astre éclairait la pièce
d'une transparence sous-marine et son plus pur
rayon s'était posé sur cette main immobile, toujours
abandonnée sur la table, toujours repliée comme sur
un objet fragile et qui ne bougea plus d'une ligne
jusqu'à la fin.

Le visage d'Holberg était tout entier dans l'ombre. Je le devinais plutôt que je ne le voyais, penché un peu de côté, vers l'épaule, la poitrine. Sa voix, lente et voilée, aurait pu être celle d'un homme endormi.

« J'ai voulu, reprit-il enfin, j'ai voulu remercier, j'ai voulu questionner, chez qui étais-je, comment me trouvais-je là, qui m'avait transporté ? Mais la voix angélique, *as soft as honey dew*, ne m'en a pas donné le loisir : Plus tard... plus tard... disait-elle. N'êtes-vous pas bien ainsi ?

— Comme à la droite de Dieu. Pourtant, je voudrais savoir...

— Tst, tst ! Pourquoi cette curiosité ? Vous vous êtes conduit avec grand courage, lieutenant. Vous avez droit au repos et nous avons tout notre temps.

— Justement non : je souffre à peine de ma blessure et je ne puis m'attarder : mes soldats...

— Ils n'auront plus besoin de vous.

— Quoi, et que savez-vous ? M'a-t-on déjà remplacé ?

— Vous le serez, ne vous inquiétez pas.

« Je regardais autour de moi, poursuivait Karl. C'était une chambre assez petite, mais douillette, luxueuse. Il y avait une admirable commode Régence, sur laquelle je crus voir mon sabre, mon bonnet à poils. Le fauteuil, où mon corps reposait parmi les coussins, était large et profond. Tout respirait une tiède douceur. Pourtant j'avais froid toujours entre les épaules.

— N'empêche, insistais-je ; pourquoi ne pas me dire...

— Il n'est pas temps encore.

— Je ne vous comprends pas. Que se passe-t-il ? Qu'attendez-vous ?

— Presque rien. Ne cherchez pas. Cela viendra bientôt. (Sa voix était ardente et douce.)

— Ne peut-on fermer cette fenêtre ? (J'étais glacé.)

— Quelle fenêtre ? dit-elle.

— Celle qui me gèle les os. J'ai froid de plus en plus.

— Justement ! cria-t-elle d'une voix qui, à ma grande surprise, me parut joyeuse. Et plus étrange encore fut le : « Enfin ! » qu'elle ajouta ensuite dans un murmure, un chuchotement presque intérieur. A peine si je pus l'entendre. Ses yeux se rapprochaient des miens, s'ouvrant tout grands, avec une expression d'attente avide, d'impatience. J'allais la questionner de nouveau mais je sentais son souffle sur mes lèvres. Je n'osais approcher les siennes, roses et délicates, un peu tremblantes. Toute mon âme aspirait à cette rencontre, au baiser qui scellerait cet amour foudroyant surgi d'un seul regard, mais dont j'étais déjà l'esclave heureux, exalté.

« Elle ne m'embrassa pas. Elle semblait guetter. Ses yeux plongeaient dans mes prunelles comme pour les explorer, sa poitrine se soulevait dans un rythme un peu haletant. J'eus le sentiment qu'elle attendait, souhaitait je ne savais quel prodige qui nous emporterait ensemble. Il y avait dans ce regard un désir si intense que je me sentais comme aspiré en lui, comme si j'allais m'y perdre. Elle a dû le voir car elle a dit : « Ah !... » d'une voix prolongée — sourde et ardente — comme l'on fait, oui, comme l'on gémit dans le plaisir douloureux de l'amour. Et d'un geste passionné, sa main saisit la mienne.

« Elle était, cette main, fraîche et douce. Oh ! fraîche, fraîche et tendre ! Ce contact trop exquis souleva dans mon cœur un transport, un désir éperdus. Je voulus me soulever , saisir, étreindre ces épaules adorables, nues et penchées vers moi. Mais je ne le pus. Une douleur à la nuque, une vive et atroce douleur brisa mon mouvement. Tout bascula et mes yeux se voilèrent et la radieuse figure s'estompa dans la brume. Je vis, une seconde encore, les yeux briller, s'écarquiller plus que jamais. Et ce n'était pas d'inquiétude mais au contraire d'une joie triomphante — et je me sentis glisser vers une obscurité sans fond, un noir de mort, accroché à cette main secourable, oh ! suave et secourable, comme pour me retenir... »

Tout cela, Holberg l'avait dit avec une faiblesse croissante, sa voix semblant s'éteindre comme l'image même qu'elle suggérait. A peine si les derniers mots furent vraiment prononcés. Nous avons pénétré ainsi, doucement, dans le silence, presque insensiblement, telle voit-on s'effacer dans le crépuscule la silhouette évanescente d'un clocher lointain. Mes pensées étaient à la fois alertes et désordonnées, battant au hasard les buissons de ma mémoire pour tenter d'y surprendre des souvenirs oubliés, qui auraient pu m'aider à me répondre. En vain, vous vous en doutez ! Et mes yeux magnétisés ne pouvaient quitter, sur la table, cette main blanchie de lune — cette main qui gisait repliée sur elle-même, qui gisait pâle sur le bois sombre, pâle, immobile — et seule.

Puis, comme le clocher renaît à l'aurore, la voix parut émaner du silence et les mots s'accordaient à cette renaissance : « Quand j'ai repris conscience, disait-elle... Mais est-ce bien le terme qui convient ? Je n'étais plus un homme dans un fauteuil douillet : j'étais du froid, rien qu'une masse de froid. Ce n'était plus seulement cette sensation glacée entre les épaules, celle qui l'instant d'avant me crucifiait dans mon fauteuil : mais gel de la tête au pied, gel dans toutes les profondeurs du corps. Jusqu'au fond des entrailles, des moindres cellules. Ce fut longtemps seulement cela, on n'existe plus ; on *est* le froid. Pourtant, petit à petit, le sentiment me revenait, et à la fin mes yeux de nouveau s'ouvrirent.

« Ils s'ouvrirent sous la lune, Olof Hermangard, là-haut dans le ciel rose, toute voilée de brouillard, déjà pâlie par le matin. Oui, ils voyaient la lune dans son premier croissant tandis que mes épaules gisaient sur la terre nue...

« Cette fois vous comprenez, n'est-ce pas ? dit-il d'une voix à la fois précipitée et rauque, rauque et tout assourdie. Vous comprenez ? Voilà, je sortais d'un rêve, d'un délire dû à la fièvre, d'une

47

hallucination radieuse mais chimérique... Ah ! quelle affreuse détresse ! Car si, dans mon cerveau, l'illusion était morte, dans mon cœur l'amour ne l'était point. Qui n'a connu de ces réveils-là, au cœur de la nuit ? Qui n'a subi la morsure d'un regret déchirant et, serrant les paupières et les poings, tenté pathétiquement de retrouver le sommeil afin de renouer avec le songe interrompu, sa merveille et son bonheur... Mais moi je ne me trouvais pas dans la tiédeur tutélaire des draps. J'étais étendu, gelé, sur la terre froide. Autour de moi la brume couvrait tout. Les tombes même s'estompaient, et leurs croix rongées de lichen. On entendait toujours le canon, vers le sud. Dans un terrible effort, je me soulevai sur un coude — ah, c'était donc là ce fauteuil profond, ces coussins : c'était la terre remuée de cette tombe toute fraîche, une terre humide et lourde, souillée d'un peu de sang, d'un peu de mon propre sang... Je parvins avec peine à me mettre debout, à me traîner hors du cimetière. La nuque me faisait très mal. Tout en titubant, je sentais sous mes doigts le sang coagulé de ma blessure. Progressivement, les forces me revenaient. Je m'engageai sur la route qui mène à Vordingborg — car où eussé-je trouvé secours, sinon au château ? J'avais été laissé pour mort, sur le terrain. J'avançais. Mais une part de moi, oh, la part de moi la plus profonde, flottait encore, restait encore dans une chambre tiède, suspendue à mourir à une main fraîche et tendre... Mon cœur tout contracté était inconsolable. Vide, vide à jamais puisque à jamais plein à déborder, ah, plein à éclater de la dévorante image d'un visage de rêve... Mes pas se firent si pesants que je dus m'arrêter, m'asseoir au bord du chemin sur un tronc d'arbre. Et là, là je pleurai la terre dépeuplée, cette terre déserte où manquait le seul être au monde que j'eusse pu aimer... »

Et moi, mes chers amis, moi, nous dit soudain d'une voix changée Olof Hermangard, je comprenais si bien les sentiments de cet homme qu'ils résonnaient en moi et que je ne l'écoutais plus. Et j'étais triste. Et m'apparut une fois de plus la blanche et mince silhouette appuyée à la rambarde du paquebot en partance qui déjà se balance et s'éloigne du quai... Et tout s'efface de mon regard sauf la forme blanche, là-haut, élancée et frêle... Inconnue, inconnue que j'ai reconnue... Et ses yeux, qui d'abord avaient glissé sur moi avec indifférence, sans même me voir, sans doute, puis de plus en plus souvent étaient venus croiser mon regard comme pour y chercher à leur tour quelque subite espérance — celle, peut-être, de son bonheur, du mien ? — maintenant s'accrochent à lui et tout le visage pâli dit muettement : « Trop tard... trop tard... » et le navire s'écarte, et moi je ne vois rien, là-haut, que le ruban du chapeau, l'épais ruban de gaze qui flotte au vent et qui vient entourer la gorge, comme pour l'étrangler... Et ses yeux sont élargis, et clairs, et

pathétiques, et ils disent : « Etait-ce vous ? » Et mon
cœur aussi saigne du bonheur entrevu et perdu :
« Trop tard... trop tard... »

A peine, poursuivait Olof, si repris par cette
nostalgie déchirante, à peine si j'entendais Holberg
raconter sa douleur, et son cheminement vers le
château, qu'il savait être celui du vieux duc de
Laësoe... « Il paraissait m'attendre sur le perron... »
disait-il, et je m'efforçai d'être à l'écoute — et la
blanche, la radieuse silhouette s'évanouit doucement
— mais son regard, comme un appel au secours, restait
fixé sur moi, fixé sur moi jusqu'à la fin — et la mer
s'élargit entre le quai et le navire — et l'on ne
distingua plus que des formes imprécises — et je fis
sur moi un effort amer — et j'écoutai.

« Quand j'approchai, disait Karl, le duc criait :
« Est-ce qu'on s'est battu ? » Et si ma nuque ne m'eût
fait aussi mal, si je n'eusse été dolent et désespéré,
j'aurais éclaté de rire. « J'ai entendu le canon » disait
le duc, et puis : « Vous êtes blessé ? » Quand il eut
compris mon état, il me conduisit vers l'intérieur et,
dans le hall, au premier siège que je vis, je confiai ma
lassitude et mon mal. Le vieux duc s'agitait. Je le
voyais trotter, chétif et cassé, entrer dans une autre
pièce, en revenir. Il me versa un grand verre de
brandy. Cela me remonta un peu. Je regardais sa
pauvre figure toute ridée, où les yeux étaient petits et
ronds, fixes comme ceux d'une chouette. Ses
paupières étaient enflammées et raides. Il me
regardait boire, croisant et décroisant sans cesse ses

doigts tremblants. Visiblement quelque chose le tourmentait, il faisait provision de courage pour parler. Je souhaitais, je l'avoue, qu'il parlât vite ou qu'il se tût : j'étais tellement las ! L'alcool m'avait fait du bien mais, maintenant, je luttais contre une torpeur cruelle. J'aspirais à dormir. « Le combat ? » demanda le duc enfin. Sa gorge devait être sèche et si contractée que ce fut tout ce qu'il put articuler sur le moment. Et moi :

— Oui ? (ah ! comme j'étais las...)

— Il est terminé ? put-il souffler encore.

— Dans ce secteur ? Depuis longtemps. Mais il peut reprendre.

« Il a frappé, d'un geste court et sec, ses poings l'un contre l'autre.

— Elles ne sont pas revenues ! murmura-t-il, tandis que ses yeux erraient de droite et de gauche comme pour chercher secours.

— Qui ? demandai-je par pure politesse, mais il n'entendit pas, je crois.

— Elles sont peut-être encore dans la chapelle ? » fit-il en fixant sur moi ses yeux de chouette. Et j'ai compris. Son angoisse me fis de la peine. J'allais lui dire qu'elles étaient là mieux à l'abri, quand je l'ai entendu marmotter ; les seuls mots que je pusse saisir étant : « Ma pauvre sœur... » Et moi, revoyant le drap blanc des vierges sur le cercueil, imaginant dedans quelque vieille demoiselle ratatinée, parcheminée : « Elle repose en paix », ai-je dit pour le rassurer. Et comme il ne semblait pas comprendre : « Mes hommes l'ont portée en terre. »

« Il a eu un extraordinaire haut-le-corps. Ses yeux sont devenus plus ronds encore, la prunelle s'agrandit à ce point dans l'iris qu'autour du noir subsistèrent seulement deux fils de couleur bleue. Et de sa bouche ouverte sur son menton tombant aucun son ne sortit d'abord. Puis : « Quoi ? Morte ! Ma sœur ? » s'écria-t-il avec un accent d'horreur épouvantée. Les paroles confuses qui suivirent eussent été comiques si je n'avais compris que je venais de faire quelque macabre erreur. Je ne m'attendais pourtant pas à la suite. Non, même quand il s'écria, et les larmes lui jaillirent des yeux :

— Ma fille, lieutenant ; ma pauvre petite fille !

« Et tandis que les pleurs, coulant le long des joues, allaient se perdre dans la pauvre et tremblotante moustache, il continuait de me parler d'une voix tellement brisée, étouffée de sanglots, que j'avais peine à l'entendre, n'ayant guère la force en outre de l'écouter. Il agitait la main, son visage s'était fait presque suppliant, et enfin je compris qu'il me demandait de me retourner.

« C'était me demander autant que de soulever ma propre tombe, Olof Hermangard. J'étais sans force, me retenais à peine au bord de la léthargie. Il y avait aussi ma blessure à la nuque et tout mouvement réveillait le mal, m'arrachait une plainte. Je ne bougeai donc pas, abandonné dans le confort du grand fauteuil capitonné, laissant le long de lui pendre une main inerte...

« Et c'est alors... »

Mais sa voix se brisa de façon si subite — comme si sur elle un coup se fût abattu — comme si quelque volonté extérieure eût brutalement interdit la suite — que mon cœur se mit à battre d'émotion — de crainte, peut-être — comme un idiot. Il me semblait sentir, toucher l'obstacle. Un obstacle si présent, si concret que le pauvre Holberg, qui avait lancé son courage au galop, semblait s'y être brisé. J'ai su que, si je ne l'aidais pas, il n'en pourrait dire davantage. Le silence qui le tuait se refermerait sur lui. Il fallait venir tout de suite à son secours — tout de suite ou jamais — et je lançai au hasard :

« Ce fut très éprouvant, n'est-ce pas ?

— Magnifique et horrible » chuchota-t-il.

Puis il a respiré de façon si ample et si vigoureuse que j'en ai perçu le souffle jusque sur mon visage.

« Horrible et magnifique, répétait-il. J'ai senti... ah, j'ai senti sa main se glisser dans la mienne, fraîche, fraîche et suave... oh ! je l'aurais reconnue entre mille. Et la douce pression qui se transmit à mes doigts, comment ne l'eussé-je pas comprise ? Pas compris le tendre et fidèle avertissement, le tendre et fidèle reproche de qui n'entend à aucun prix être oubliée, pas une seule minute oubliée...

« Voilà » a-t-il conclu d'une voix si basse qu'à peine pouvais-je l'entendre. « Elle tenait ma main, tirait un peu, et eussé-je dû y perdre ma vie, je crois que je me serais quand même retourné. Mais il n'y avait personne, Olof Hermangard. Personne derrière moi. Le duc agitait la main, il répétait : « Ma fille, ma fille... » et désignait le mur. Et sur le mur pendait un grand portrait. Et le portrait... »

Une fois encore, le courage d'Holberg a bronché. Mais qui n'aurait deviné quel visage il reconnut sur le tableau ? Si bien que, lorsque après un moment son chuchotement a repris, pareil au murmure angoissé d'une sentinelle à son partenaire dans la nuit, je pouvais reconstituer les blancs entre les mots. Il évoquait le visage, la robe, et le sourire inoubliable, les lèvres entrouvertes qui semblaient dire : « Ne bougez pas, ne parlez pas... » le sourire qui se dédiait : « Tant de courage, lieutenant... » et lui qui ne pouvait pas plus en détacher les yeux que l'aiguille aimantée ne peut se détacher du nord. Et pendant ce temps, la douce main invisible serrait la sienne comme pour attester : « A jamais, n'est-ce pas ? A jamais... » Et il avait le cœur déchiré, partagé entre la joie et l'épouvante, l'une et l'autre si violentes — magnifiques et horribles — qu'il ne résista pas à l'émotion et perdit connaissance.

« Et j'ai dormi onze jours, paraît-il. Onze jours et onze nuits. Dormi ? » rectifia-t-il avec un petit rire, intérieur et triste. « Oui, on peut bien appeler cela dormir — dans le monde des vivants. Le duc m'a dit plus tard que, parfois, j'ouvrais les yeux, que je me levais et marchais, mais toujours endormi, ne voyant rien, n'entendant rien... Endormi ? Bon, je veux bien. Mais moi... »

Il s'est penché vers mon fauteuil. Et m'aurait-il

confié un secret criminel que sa voix n'aurait pas davantage tremblé : « Elle m'a emmené partout, dit-il. A travers tout le château. Elle voulait que je connusse tout de cette demeure où elle avait vécu vingt ans — jusqu'au jour de sa mort — « à t'attendre... » disait-elle. Et elle prenait ma main pour me conduire dans les couloirs trop sombres. J'ai reconnu la chambre où j'avais eu si froid. Elle m'a montré, dans les greniers, le berceau de son enfance, en fer forgé, laqué blanc, qui ressemblait, abandonné, misérable, au squelette de quelque oiseau préhistorique... L'armoire où pendaient encore ses robes d'apparat... Des tiroirs pleins de dentelles... L'échauguette où elle s'enfermait pour ses lectures secrètes... Tout, elle m'a tout montré qui me permit d'imaginer sa vie passée, sa vie de jeune fille vivante...

« Et même bien d'autres choses. Ah, dit-il et sa voix frémissait, elle m'a fait voir, elle m'a fait rencontrer bien d'autres choses... Mais comment vous les dire ? Ce sont des visions qui au réveil s'effacent, dont il subsiste à peine un sentiment... Nous avons été introduits... Elle m'a fait admettre... J'ai été initié... mais comment vous décrire, comment vous faire comprendre... Moi-même, rien qu'à faire l'effort, tout se dissipe...

« Durant onze jours et onze nuits, je suis sorti de ce monde-ci, Olof Hermangard. Oui. J'ai vécu ailleurs. Un ailleurs peuplé d'ombres. Dont personne n'est jamais... ou bien alors est revenu comme moi : ayant tout oublié. Mais d'un oubli, comment vous dire... si imprégné de mouvante plénitude qu'il en paraît plus riche qu'un souvenir clair... Onze jours, j'ai vécu dans une exaltation sublime, palpitante, auprès de laquelle notre existence terrestre paraît passive, pâle, si pauvre... Mais en même temps, ah, tout en même temps j'étais déchiré entre le délice et l'épouvante ! Le délice de l'amour ; l'épouvante de la mort... Encore aujourd'hui, encore en ce moment, ces souvenirs informes me remplissent de terreur et pourtant... oui, pourtant, mon ami — dit-il avec un espèce de sanglot, de gémissement — j'en éprouve un regret... une nostalgie... in-gué-ris-sables. »

Il avait prononcé ce dernier mot avec une lenteur si pesante que les syllabes pénétrèrent en moi comme, dans certains tableaux de Jérôme Bosch, on voit des couteaux traverser des poissons sans paraître leur faire aucun mal. J'en écoutais l'écho désolé quand il a levé un bras : « Le reste... » dit-il...

Sa main — celle qui n'était pas, sur la table, immobile et lunaire — a fait un mouvement d'aile, comme on écarte une guêpe. Il a dit : « Qu'ajouterais-je que vous ne sachiez déjà ou deviniez ? Je suis sorti de léthargie ; je me suis réveillé. Avec le sentiment atroce d'être arraché à un bonheur céleste. Mais aussi le sentiment, le soulagement fou d'un sauvetage, la sensation farouche de bonheur, de joie que peut ressentir un homme qui se noyait et qu'une vague soudain dépose sur le sable...

« Et ce qui alors, ce qui à mon réveil, s'est emparé de moi, de la tête aux pieds, ce n'était pas l'amour, mais la peur. Croyez-vous ? dit-il comme si cette conclusion eût été inimaginable. Hein ? Ce merveilleux, cet incroyable bonheur d'une passion irrépressible et partagée, cette joie d'aimer dont je m'étais cru privé jusqu'à la fin de mes jours... Pfuh... je les ai refusés ! Et je me suis enfui. Chaque pas que je faisais encore dans ces galeries pleines d'ombres éveillait des souvenirs de visions d'autant plus redoutables qu'elles étaient fuyantes, évanescentes... et c'était, que voulez-vous, c'était au dessus de mes forces, chaque fois je me sentais comme tiré en arrière, vers quelque abîme invisible, dévorant... Oui, j'ai fui ce château, prenant hâtivement congé au grand étonnement du duc, car je n'étais pas guéri : ma blessure tardait à cicatriser. Cependant, j'ai rejoint mon régiment, je l'ai rejoint sans désemparer, je me suis replongé dans une agitation tout à fait épuisante, mais j'aspirais à l'épuisement. Sur ce point j'ai été exaucé, vous le savez. A telle enseigne que j'ai dû reprendre du repos. On m'a envoyé à Copenhague. Ou je vous ai retrouvés, vous tous, mes amis. Et quand ma santé enfin se fut améliorée, je suis venu à ce bal. Chez le comte Hjörnsen. Et c'est là que... »

Une fois encore sa voix s'est subitement brisée ; mais non plus comme sur un obstacle : comme sous le coup d'une émotion trop forte, qu'elle fût de joie ou de terreur. « C'est là — put-il enfin articuler — à cette dernière soirée, vous vous rappelez, quand vous m'entouriez tous, vous tous et Margarete que depuis ma blessure je n'avais pas revue, et Margarete à qui j'avais donné ma foi, et Margarete en qui encore je mettais mon espoir, c'est là, pendant que nous riions, pendant que je riais, presque heureux... c'est là que de nouveau... que sa main... sa main, ah, fraîche, fraîche, et tendre... que j'ai senti cette main prendre la mienne, et avec une telle force, une telle autorité que je n'aurais pu me dégager. Ah ! ce que j'aurais pu, dit-il sur le ton frissonnant d'une exaltation mi-extase mi-fièvre, c'était mourir sur place, de ce choc à la fois de bonheur et d'épouvante ! Car tout de suite j'ai su, j'ai su que c'était là ce que mon cœur n'avait cessé de souhaiter, si mon âme s'en terrifiait. On peut mourir, Olof Hermangard, d'un pareil déchirement. Mais je ne suis pas mort, dit-il d'une voix soudain fatiguée. Je suis parti... J'ai suivi cette main horrible et adorable, qui ne m'a plus quitté. Plus jamais. Et je suis venu ici. Et depuis — murmura-t-il encore, mais il me parut à bout de force — depuis... eh bien... eh bien... voilà. » Sa voix n'était plus qu'un souffle. « Toujours, toujours auprès de moi. » O le pathétique de son accent disant ces mots : épuisé, vacillant — d'une tendresse infinie ! Il ajouta encore : « Est-ce qu'on peut s'habituer ? A l'amour et à la peur, au bonheur et à la peur ? Au bonheur *dans* la peur ? Peut-être. Mais... — acheva-t-il tout bas en secouant la tête, à peine — pas moi ! »

Puis il se tut. Qu'aurais-je dit ? Outre que je me

serais senti bien incapable d'exprimer un avis, un
conseil, je ne pouvais, vous l'avouerai-je ? quitter des
yeux cette main immobile sur la table, cette main
lunaire et refermée, doucement refermée comme sur
une autre main... Je regardais cette main, captivé, et
Holberg avait dû suivre mon regard, il avait dû
comprendre la question fascinée que je me posais, car
je l'ai vu lever cette main que je regardais, et
lentement, amoureusement la glisser sur son épaule,
le long du cou, pencher la tête et flatter de sa joue,
doucement flatter la main d'une tendre et légère
caresse, comme le cygne caresse sa propre encolure,
et il me dit — il chuchota : « Oui, Olof, c'est elle ;
oui, elle est là », et je ne pus, comme un idiot,
m'empêcher de sursauter et lui, caressant toujours de
sa joue cette main sur son épaule, il murmura
encore : « Elle est là et c'est elle en ce moment, c'est
elle qui me donne, qui m'a donné le courage... de
vous dire...de vous révéler... notre... » Allait-il dire
union ? hymen ? Mais le mot ne fut pas prononcé ;
et le pauvre garçon avait dû aller jusqu'au bout de ce
courage, jusqu'à l'extrême bout de sa résistance
nerveuse, car j'entendis — ou plutôt je devinai sa voix
à peine pouvant passer ses lèvres : « Mais maintenant
je n'en peux plus. Je n'en peux plus. Je suis anéanti. »
Et son visage s'affaissa lentement, et son menton
parut se perdre dans sa poitrine.

Et la voix d'Hermangard aussi avait paru suivre ce mouvement d'abandon. Il garda le silence un moment. Nous attendions. Et puis, sans transition, il dit :

— La lettre — une petite enveloppe grise, avec un seul cachet — posée sur le dessus d'un courrier abondant, m'attendait deux mois plus tard, à mon retour d'Ecosse, où j'étais allé chasser la grouse. Elle venait de Norvège, mais je n'en ai pas reconnu l'écriture. Une seule ligne, mais saisissante : *Adieu*, disait-elle. *Remember me*. Elle était signée simplement : *KARL*. Et dessous, il avait ajouté ces mots étranges : *Nous n'avons plus de patience*.

Je n'ai pas perdu de temps, vous pensez bien, en de vaines supputations. Et j'ai sans plus tarder franchi le Skagerrak. C'était le mois dernier, la fin d'un bel automne, vous vous rappelez, et j'ai regagné sans peine la maison solitaire. Je n'y ai trouvé qu'un domestique, un vieil homme chenu dont l'œil bordé de rouge s'humidifiait en me parlant.

Karl Holberg est en vie. J'emploie ce terme parce qu'il n'en est pas d'autre qui désigne un état entre la vie et la mort. Depuis maintenant un peu plus de sept semaines, il dort. Les médecins l'ont fait transporter dans une clinique de Christiania où ils étudient son cas avec curiosité. Ils multiplient les examens, tous montrent un organisme en parfaite santé. On le nourrit à la sonde, et l'ensemble fonctionne à merveille. Seuls l'esprit, la conscience sont absents. Tous les efforts pour l'éveiller ont été vains et les

médecins s'avouent incapables de prévoir s'il peut
encore s'éveiller de lui-même ni, s'il le fait, si ce sera
bientôt — ou plus tard — ou jamais.

Ainsi, ai-je pensé, il est retourné dans son sommeil.
L'a-t-il voulu ou non ? Et moi... eh bien, je me
demande. Je me demande ce que je ressens à son
égard, à l'égard, pour mieux dire, de l'état où le voici
et qu'il a recherché, peut-être. Je me demande si c'est
une compassion affligée ou au contraire... oui... si ce
n'est pas une sorte d'envie. Quoi qu'il se passe en lui,
au fond de ce sommeil, je me dis que peut-être il est
allé rejoindre une forme de bonheur inconnu,
inimitable. J'y pense souvent. Trop souvent même.
Avec un certain trouble, dont je ne sais, non plus, si la
nature m'inquiète ou me rassure. Et vous, mes chers
amis, dit-il en changeant de ton, vous, qu'est-ce que
vous en pensez ?

— Eh bien moi, commençai-je...

— Allons, allons ! dit Knud de sa voix joyeuse — il
me coupait tout le temps la parole, celui-là ! — c'est
clair comme le jour, non ?

— Par exemple ! dit Niels en posant sur le jeune
homme ses yeux bleus étonnés.

— Holberg et le vieux duc, poursuivait Knud, se
fréquentaient avant la guerre, n'est-ce pas ce que
vous avez dit ? Karl connaissait le château.
Probablement a-t-il, une fois ou l'autre, rencontré la
jeune fille, au moins vu son portrait, sans tout de
suite s'apercevoir que cette vue le frappait au cœur.
Puis il a oublié, ou du moins il l'a cru. Tout le reste —

les visions, le délire, et la main fraîche et tendre, le sommeil même —, sa blessure peut l'expliquer cent fois. Le crâne à dû être atteint, et voilà tout.

— Selon vous, simple folie par conséquent ? dit Hermangard doucement.

— Je pense, commençai-je...

— Folie, bien entendu ! dit Knud d'un ton sans réplique. Et d'ailleurs, moi...

Tous les visages se tournèrent vers lui pour l'écouter.

Chapitre 2

— Moi, dit Knud, j'ai rencontré un homme — enfin
si je peux appeler ainsi ce squelette ambulant —, mais
je renverse l'ordre des choses, disons plutôt...
Allons ! il vaut mieux commencer par le
commencement.

Quand nous avons décroché notre diplôme, et
quelque temps après cette bamboche mémorable, il y
a donc de cela plus de douze ans, j'ai travaillé
d'abord aux forges de Ratisbonne, en Bavière. Je ne
m'y suis pas plu. Je n'ai rien contre les Bavarois, ce
sont de bons compagnons de travail, exacts, efficaces.
Mais je n'ai jamais pu m'habituer à leurs façons,
après le travail. Quand devant leurs pots de bière ils
se mettent, bras dessus, bras dessous, à chanter en
chœur, leurs chansons sentimentales — et puis s'en
vont, toujours en chœur, briser des vitrines chez les
Juifs et les rosser à mort.

— Tu n'as jamais aimé les Allemands, dit Peter Gude d'un ton de reproche (sa mère venait d'Helmstedt).

— Si fait, je les aime bien — mais ils m'inquiètent souvent. Disons que je ne me sentais pas à l'aise auprès d'eux. Après un temps, je suis donc parti pour l'Italie, d'abord près de Turin puis dans le Sud, aux nouveaux chemins de fer, pour prolonger la ligne de Naples vers la Calabre. Les bandits calabrais sont une légende, mais le vrai fléau, là-bas, ce sont les paysans. Tellement arriérés, confits en religion, qu'ils tiennent le chemin de fer pour invention du diable. Ils démontaient la nuit les lignes derrière nous. On y a mis la garde ; mais les soldats, étant eux-mêmes des paysans, leur auraient bien plutôt prêté la main. J'ai fini néanmoins par gagner à l'usure, mais j'en avais assez des Calabrais ; et dès que notre première locomotive a pu atteindre Catanzaro, j'ai rendu mon tablier. J'en avais plus qu'assez, aussi, du dur soleil méridional. Je rêvais d'icebergs et de neiges perpétuelles. Alors, quand en Islande on m'a proposé un poste...

— Où ça ? dit Jens-le-Panaché, ainsi nommé à cause de sa mèche blanche.

— A Reykjavik.

— Bhoûh !... frissonna le gros Sophus, dit aussi Callipyge.

— Je ne suis pas frileux. Et me voilà parti pour le Grand Nord. J'ai bien failli d'ailleurs ne pas y arriver.

Pour des raisons d'économie je m'étais embarqué sur un vieux lougre...

— Qu'est-ce que c'est ?

— Un lougre ?

— Oui.

— C'est un dundee. Mais fortement gréé pour sa taille, et plus fait pour le cabotage que pour le long cours. Mais je n'en savais rien en m'embarquant, ni que les armateurs, fortement assurés, se moquaient bien, pourvu que l'argent rentrât, d'exposer à des difficultés mortelles l'équipage comme les passagers. Nous nous gênions les uns les autres sur ce bateau trop petit et on nous le faisait bien voir. Même le cuisinier nous délayait d'infâmes ragoûts qu'il s'amusait à trop saler ; quant au second, il se plaisait, lui, par gros temps, à incliner la coque d'une gîte si brutale qu'elle nous faisait dégringoler de nos couchettes. Certains n'ont pu le supporter et se sont fait débarquer en Ecosse, dès la première escale. Moi, je suis plus coriace.

— Et te voilà à Reykjavik, dis-je pour couper court, Knud ayant fâcheusement tendance aux digressions. Il aime à s'écouter parler. Comment est-ce ?

— Reykjavik ? il y a peu à en dire. C'est une ville en devenir. J'y suis arrivé quand commençaient de se construire les premières conserveries. Mais pour le reste, en 1860, elle était par moitié faite encore de baraquements. Vous connaissez la côte ouest de notre Jutland ? Nos petits ports lui ressemblent. Des maisonnettes de bois noir, aux toits goudronnés, avec de petites fenêtres encadrées de vert ou de rouge. Ça sent le poisson et les embruns. On ne peut pas rêver plus maritime.

Mon travail consistait à capter l'eau chaude dans le sous-sol volcanique pour l'amener en ville. C'est un travail de pionnier et je ne ménageais pas ma peine, profitant des journées sans fin du printemps et de l'été, quand dans le ciel polaire le soleil ne fait que tourner en rond et paraît, à minuit, rebondir lentement sur l'horizon pour une nouvelle circonférence. J'étais sur les chantiers seize heures par jour. Mais à l'inverse, l'automne et l'hiver venus, ce n'était plus que travail de bureau, dans la nuit et l'envie de dormir, le soleil ayant disparu et ne laissant pointer, au mieux, juste un instant, qu'une crête de coq pour redisparaître aussitôt. Après l'ardeur des premiers mois j'ai commencé à m'ennuyer ferme, dans cette obscurité perpétuelle. Qui s'ennuie cherche des distractions. Mais il n'y en avait pas à Reykjavik. Il y a bien un théâtre, si on peut l'appeler ainsi, et seulement pour les troupes de passage qui ne passent pratiquement jamais. Pratiquement non plus pas de bouquins, sauf des bréviaires et quelques almanachs. Alors, qu'est-ce qu'on fait ? Beaucoup se mettent à boire. On joue gros jeu, mais je n'aime pas le poker. Il reste l'amour et les intrigues. L'amour ne vous regarde pas, mais les intrigues, moi qui auparavant ne pensais qu'à mon travail, eh bien, petit à petit j'ai commencé de m'intéresser aux complots, manèges et manigances de cette chétive cité isolée du monde. Intrigues minables, bien sûr, et ridicules. Telles les machinations de l'échevin pour déboulonner le bourgmestre, dont il convoitait le fauteuil. Il n'y mettait pas moins de patience, de ruse et de stratégie que Bonaparte préparant son 18 Brumaire. Mais tout est affaire de proportions : à celles de l'univers et de ses milliards d'étoiles, le Congrès de Vienne n'a pas plus d'importance qu'un branle-bas d'abeilles au fond d'une ruche. Et inversement : aux proportions de Reykjavik, les petites malices de l'échevin valaient bien celles de Metternich au partage de l'Europe.

J'avais pris parti pour le bourgmestre. Son adversaire me semblait tellement renard qu'il ne pouvait tromper son monde, je veux dire qu'il ne m'inspirait que méfiance, mais il trompait son monde bel et bien. L'autre était au contraire droit et franc du collier. Il s'appelait Krüdner, était né à Hambourg où il avait durement gagné sa vie avant de venir construire une fortune en Islande sur le commerce de la morue. Nous n'avions eu d'abord que des relations professionnelles, la distribution d'eau chaude étant à la fois de son ressort et du mien ; mais elles s'étaient bientôt faites sympathiques, puis amicales malgré la différence d'âge — il avait trente ans de plus que moi. Ça le rajeunissait, aimait-il à me dire, quand parfois il lui arrivait de me prendre pour confident. D'abord seulement sur ses démêlés avec ses concitoyens. Et puis, de proche en proche, sur des affaires plus générales, et enfin plus intimes. Néanmoins, des semaines et des mois passèrent avant qu'il me parlât de son fils.

D'abord à demi-mots, mais j'eus néanmoins tôt compris que ce fils, c'était l'épine dans le cœur. Non point qu'en tant que père il eût rien à lui reprocher, rien de grave tout au moins, ni manque de probité ni absence d'affection. Simplement, le bonhomme adorait ce garçon et celui-ci n'était jamais là.

J'ai cru d'abord que, passant outre aux avis de son père — à ses prières aussi, peut-être — il s'était fait marin. Cela semblait ressortir de tout ce que j'entendais. Jusqu'au jour où, fixant sur moi ses yeux globuleux de chien triste, le vieil homme dit entre ses dents : « Non. Marin ? Pas du tout. Enfin pas comme vous l'entendez. Il est avocat à Hambourg. Oh ! marin, j'aurais préféré ça. Je saurais ce qu'il fait ; où il part, d'où il vient. Je le verrais débarquer au jour dit. Tandis qu'à l'instant où je vous parle, sais-je seulement où il se trouve ? Sa dernière lettre vient du Mexique, mais elle a mis deux mois à me parvenir. Il pensait repartir pour le Pérou, mais sans en être sûr. Alors, je ne saurai rien jusqu'à la prochaine lettre, dans un mois, dans un an. Entre-temps je ne sais même pas s'il est vivant et alors, voyez-vous, une absence pareille, ça ressemble à la mort. » Il soupira. « En fait, je n'ai plus de fils. »

Vous savez, mes amis, combien je suis discret de nature...

— Oh ! oh ! fîmes-nous tous en chœur.

— Si, si : je ne pousse jamais aux confidences, si je les écoute volontiers, et ce n'est pas ma faute si les gens...

— Allons, allons, dit Jens, tu adores les secrets de famille. Comme une vieille commère de village.

— N'empêche que, ce jour-là, je ne sus rien de plus, n'ayant rien demandé. J'étais intrigué, pourtant, et même fichtrement : pourquoi un jeune avocat de Hambourg avait-il à courir ainsi les océans ? Il y a bien parfois à plaider des procès internationaux mais, quand même, ce n'est pas la règle. Or les errances du fils, à en croire le père, duraient sans interruption depuis plus de trois ans. Oui, trois longues années pendant lesquelles il ne l'avait pas revu et n'en recevait que des nouvelles intermittentes et lacunaires, en général impersonnelles et quêtant seulement quelque information (concernant le plus souvent — le vieil homme se demandait pourquoi — un cap-hornier appelé *la Belle Andenne*, retenez bien ce nom.) C'était attendrissant d'entendre ce marchand de morue, un peu rustre, dur en affaires, parler d'un juriste chevronné, courant les mers, dans les termes bêtifiants d'une mère-poule à l'égard des bobos et bons mots d'un jeune enfant... Iconolâtre, il conservait de son fils à plusieurs âges, dans un tiroir de son bureau, toute une collection d'images, sur lesquelles je devais m'extasier : silhouettes découpées en papier noir, selon la vogue des années vingt — les silhouettes d'un bambin portant, sur ses cheveux

bouclés, le tricorne à la mode pour les enfants, ces
années-là ; puis deux ou trois miniatures sur ivoire,
vers ses dix et douze ans, assez jolies, les portraits
d'un garçonnet joufflu aux yeux clairs étonnés ; puis
celui d'un adolescent, aux deux crayons, noir et
sanguine, tracé d'une main légère ; et, au même âge,
un daguerréotype sur métal, mal fixé et déjà
s'effaçant un peu. Enfin du même Hans adulte — frais
émoulu de l'université d'Heidelberg et venant de
s'inscrire au barreau — une des premières
photographies d'Hebbel, vous savez, l'élève de
Nadar. C'est ce dernier visage qui m'est resté le plus
présent dans la mémoire, à cause d'une autre
photographie, prise quelques années plus tard à San
Francisco, et de leur différence effrayante. Car le
premier portrait, celui d'Hebbel, respire la bonne
santé et la joie de vivre : c'est le visage d'un jeune
nordique aux traits fins et ouverts, un visage d'une
beauté angélique, marqué seulement d'un drôle de
pli au coin des lèvres. Grand, mince, le cou bien pris
dans le col romantique et la cravate à plusieurs tours,
c'est ainsi que je me figure, si vous voulez, Shelley.
L'œil en amande, l'iris d'une transparence de ciel.
Sur tout cela, un air d'innocence enfantine, à lui
donner le bon Dieu sans confession — s'il n'y avait
pas ce pli au coin du bec.

L'autre photographie, dont je viens de vous parler,
celle prise à Frisco, fut apportée au bourgmestre, un
jour que j'étais là, par un camarade de bord de son
fils : un Islandais nommé Sturness qui prenait sa

retraite et qui rentrait à Reykjavik après trente ans de mer. Hans l'avait chargé d'une missive pour son père, accompagnée de cette photographie. Le vieil homme souriait d'avance en la prenant. A l'air qu'il eut ensuite, je compris qu'il éprouvait un choc. C'est inouï combien, à force de se voir chaque matin au miroir pour se raser, on s'aperçoit peu soi-même des changements de l'âge. Ou de la maladie, de la fatigue — car l'âge, dans le cas présent, ne pouvait guère être mis en cause : les années ne comptent guère au cours de la trentaine. Or, sur cette photographie, Hans est à peine reconnaissable. Qu'était devenu le Shelley angélique de la photographie d'Hebbel ? C'est toute une vie, entre ces deux images, qui semble s'être écoulée ; avoir marqué le visage triste de plis profonds, de boursouflures épaisses. L'œil clair ne se voit plus au fond de l'orbite, que ferment des paupières gonflées. Le sillon au coin des lèvres n'est plus une simple ride, c'est une crevasse qui va se perdre jusque sous le menton. Le photographe a demandé de sourire et le patient a obéi ; mais c'est un rire lugubre, presque macabre.

Le bourgmestre m'avait passé ce cliché sans un mot, et je me disais, en le considérant, qu'il fallait que ce Hans fût aveugle sur lui-même pour avoir envoyé à son père cette dénonciation. Car ce qu'il dénonçait, ce visage, c'était un mal bien plus profond que l'âge, la fatigue ou la maladie : c'était la marque surtout, presque évidente, d'un mal de l'âme, d'un vice insinuant, destructeur. D'un de ces vices dont les gens disent « qu'il est écrit sur la figure ». On ne sait pas lequel, on ne peut faire que des suppositions, mais qu'il y soit inscrit, il n'y a guère à en douter.

J'en étais à me dire : « Qu'est-il arrivé à ce garçon ? » et aussi : « Après quoi donc court-il les mers ? » quand j'ai entendu le bourgmestre presser de questions le messager. L'autre — Sturness — s'en tirait comme il pouvait. Mais je le voyais élusif et gêné. Visiblement il arrangeait les choses pour rassurer le père. Seulement les restrictions mentales étaient trop évidentes pour que je ne les perçusse point. Cela me tourmentait. Je m'étais attaché, je vous l'ai dit, au vieux Krüdner, et je flairais quelque malheur. Aussi, quand le bonhomme enfin prit congé, m'arrangeai-je pour le suivre et l'amener prendre un verre dans un estaminet voisin. Là, je lui demandai de me dire la vérité. Il mit ses mains autour de sa tasse de thé bien chaud puis, relevant la tête, me regarda en face.

« Il est en train de crever », dit-il.

C'était, ce vieux matelot, un homme plein de sagesse. Et d'expérience. Il avait bourlingué sous toutes les latitudes et, au cours de sa vie, vu et entendu tout et le contraire de tout. Il n'avait pas mis longtemps à comprendre, disait-il, quel genre d'homme était ce nouveau venu, qui se disait soutier, comme lui. « Soutier ! m'exclamai-je. Voulez-vous dire... qu'il enfournait le charbon dans les soutes ? » L'homme acquiesça, oui, c'était bien dans cet emploi que Hans avait embarqué ; mais lui, Sturness, vieux cheval de retour, il avait tôt percé à jour ce gars qui s'efforçait de parler le langage des matelots, avec leur accent populaire, mais qui ne pouvait se surveiller toujours : alors il lui échappait des expressions choisies, que normalement aucun soutier ne peut connaître ou en tout cas n'emploie jamais — et l'accent lui revenait de l'université. De sorte que le vieil Islandais s'était promptement dit que « çui-là, c'était pas un mec ordinaire ». D'abord il avait gardé ça pour lui, se grattant seulement le tête à se répéter : « C'est pas un mec, c'est un monsieur. Qu'est-ce qu'il vient foutre ici ? » Sans doute, pensait-il, qu'il avait fait une bêtise. Parti avec la caisse, ou bien suriné une drôlesse, ou le mac de la drôlesse, et la police est à ses trousses. Il en avait conçu pour Hans, tout à la fois réprobation, pitié et considération. Tout homme a droit, de toute manière, à un secours amical quand il est en difficulté. Il prit donc Hans sous sa protection, à la fois paternelle et presque maternelle. Car le métier de chauffeur, sur un navire, est un des plus durs qui soient et il faut s'aguerrir depuis son plus jeune âge. Visiblement ce Krüdner s'épuisait à la tâche. A en croire le peu qu'il avait confié à son copain de chaudière, il y aurait bientôt trois ans que, ce métier de chauffeur, il l'avait exercé sans prendre de congé sur une série de navires. « Et avant ? avait demandé Sturness. Avant d'être soutier, qu'est-ce que tu faisais ? » — « Si on te le demande... » avait répondu Hans, et l'autre se l'était tenu pour dit. Entre gens bien, la discrétion est de rigueur. Il y avait un mystère, on semblait y tenir, il n'aurait pas été convenable d'insister.

Pas plus qu'il n'eût été convenable d'insister quand il s'était heurté à d'autres énigmes. Ayant compris que Hans quitterait une fois de plus ce navire à Hong-Kong, afin de chercher un autre embarquement à destination de Santiago, il avait demandé : « Pourquoi Santiago ?

— Si on te le demande... »

Bon, c'était une rengaine ! Quand même, Hans finit par lâcher qu'il cherchait à rejoindre un certain cap-hornier qui, selon ses informations, se dirigeait vers le Chili. « Mais, lui dit le matelot, quand tu y arriveras, à Santiago, l'autre aura eu vingt fois le temps d'en repartir !

— Je sais bien, avait ronchonné Hans. C'est ça le chiendent. »

Ce gars-là n'est pas dans son assiette, pensait Sturness vaguement troublé. Il fut plus troublé encore en comprenant que cette poursuite, elle était engagée depuis bientôt trois ans — dans les mêmes conditions ! Qu'étant à Rio, Hans s'était embarqué pour rejoindre Lisbonne, où il savait que relâchait le navire en question. Puis, l'ayant bien sûr manqué, s'était pareillement réembarqué de Lisbonne pour Québec, de Québec pour Bordeaux et de Bordeaux pour le Cap, à mesure qu'il recevait des informations. Enfin, du Cap à Sydney et de Sydney à Rio... « Quoi ! s'était exclamé l'ancien. Mais c'est comme... comme si, sur un manège de foire, tu enfourchais un des chevaux de bois pour rattraper celui d'en face ! Tu peux tourner comme ça jusqu'à perpète !

— On ne sait jamais, avait dit Hans. Un jour il peut attendre un peu longtemps du fret. Ou même être en radoub. Dans ce cas je le rattraperai.

— Si tu comptes là-dessus... »

Là, le vieux s'était tu, sentant qu'il rendait l'autre trop malheureux. Mais quelle histoire de fou !

D'ailleurs, le plus inquiétant, c'était l'état de santé du mec. Visiblement déjà malade en embarquant sur le *Pomerania* — un de ces vieux navires à aubes, nantis d'une cheminée monumentale entre des mats équipés chacun de trois huniers et d'un foc. On n'utilisait guère cette voilure qu'avec les vents portants, pour soulager les machines, épargner le combustible : les gabiers, sur le pont, avaient donc peu à faire. Tandis que les chaudières étaient énormément gourmandes de charbon — on a fait des progrès depuis, au long de ces années, le rendement est meilleur avec la propulsion à hélice ; mais sur le *Pomerania*, déjà ancien à l'époque, le travail de soutier était exténuant.

Et le vieux Sturness voyait « le béjaune » — comme il l'appelait paternellement — s'échiner et maigrir à vue d'œil à ses côtés. Alors, il tentait de prendre à sa charge une partie du travail de Hans, qui se vexait et l'envoyait promener. Une fois même, un gabier de misaine étant tombé malade, l'ancien avait, de son propre chef, suggéré de prendre Krüdner en remplacement, espérant lui trouver ainsi une sinécure. Le capitaine eût accepté sans doute. Mais ce fut Hans qui refusa. Et d'abord l'Islandais ne comprit rien à ce refus. Pourquoi se tuer à la tâche quand on peut l'éviter ? Mais ce vieux sage, je vous l'ai dit, en avait tellement vu dans sa vie que ce furent ces mots eux-mêmes, « se tuer à la tâche », qui le mirent sur la voie. Oui, pour quelque raison, ce gars-là se tuait à la tâche — se tuait exprès — même s'il n'avait pas encore, peut-être, conscience de cette tentation suicidaire puisque, pendant les heures de repos, Krüdner montrait de la bonne humeur — et l'on pouvait s'y laisser prendre. Mais, sous cette fausse gaieté, l'Islandais devinait quelque tourment tragique. Il le surveilla de plus près. Au cours d'une tempête, il fallut charger les foyers à un rythme infernal, pour maintenir l'allure : la mer et l'ouragan pesaient sur les mâts et la coque avec une telle violence que le timonier peinait à maintenir le cap. Seule la puissance des machines lui permettait de gouverner. Pour seconder la chaufferie, le capitaine avait dépêché dans les soutes quelques gabiers de secours, que ne réclamait plus le pont à sec de toile. Mais Krüdner n'avait accepté aucune aide, prétendait rester seul à entretenir son feu et chargeait le charbon avec une rage joyeuse. Que pendant toutes ces heures — jour et nuit — il n'en fût pas venu à s'effondrer, cela, selon l'Islandais, n'avait pu tenir que du miracle. Mais quand enfin le vent tomba et que, dans la chambre de chauffe, l'on put souffler un peu et laisser se détendre les nerfs et la volonté, tout simplement il avait vu Krüdner s'écrouler sur place, évanoui. Malaise cardiaque.

Le médecin du bord le trouva si mal en point qu'il ordonna un repos absolu. C'était déjà bien tard. Quand Sturness vint à l'infirmerie rendre visite à son ami, il l'avait trouvé au fond du lit, la tête creusant l'oreiller. Dans un tel état de maigreur qu'à peine si le corps soulevait le drap. Le visage était blême, les mains translucides. Il peinait à parler.

— Te v'là content, dit l'Islandais. Pourquoi que t'as fait l'idiot ?

— T'es brave, avait dit le malade en essayant de sourire. Mais tu peux pas comprendre.

— Qu'est-ce que tu cherches ? dit l'autre avec colère. A passer l'arme à gauche ? »

Krüdner l'avait regardé longtemps, et cette fois sans sourire, longtemps et comme s'il avait été sur le point d'une confidence — comme si, pensant : « ... t'es pas si bête... » il allait lui dégoiser enfin toute l'affaire — et déjà il ouvrait la bouche — et puis non, il détourna la tête, ferma les yeux. Et le corps, sous le drap, parut se ratatiner encore. Les lèvres chuchotèrent : « Ça n'en finira donc jamais ?... », et ces mots mirent Sturness hors de lui.

— Et tu crois, cria-t-il, que je vais comme ça te laisser te détruire ?

Krüdner haussa les épaules sans répondre, sans même ouvrir les yeux. Le vieux marin eut envie de le prendre par l'encolure, de le secouer furieusement. Mais le malade était si maigre qu'il aurait craint de le casser. Longtemps ils restèrent ainsi, tous les deux, sans parler.

« Vraiment, dit enfin l'Islandais, tu veux rien m'expliquer ?

— Y a rien à expliquer », dit Krüdner d'un ton las ; et pour l'autre, ce fut une illumination. Cette discrétion-là, ce silence masqué, ce bœuf sur la langue, ça ne pouvait avoir qu'une origine : c'était la pudeur de l'amour. Cet homme-là, pour finir, n'avait pas du tout tué une drôlesse, il était bel et bien en train de se tuer pour elle. Bon Dieu, c'était aussi sûr que deux et deux font quatre. « Y a d'la gonzesse là-dessous ! » s'écria-t-il et, après un moment, avec douceur, avec tendresse : « C't à cause d'une femme, n'est-ce pas ? Dis-moi la vérité. »

Soulevant ses paupières et se tournant vers lui, Hans de nouveau l'avait considéré longtemps. Une telle sollicitude finit par extorquer à son visage creusé une sorte de sourire, plutôt semblable encore à une grimace ; il y eut sur ses joues un soupçon de roseur et sur ses lèvres un soupçon de soupir fait d'apaisement, de consentement, du soulagement heureux de l'aveu arraché : « Tiens, t'as deviné ça... Une femme, murmura-t-il... Eh bien oui, quoi, une femme... » dit-il presque à voix haute et, par un reste de pudeur peut-être, ou d'amour-propre, il avait ajouté : « Est-ce assez bête, non ? »

Mais Sturness avait feint de ne pas entendre et dit avec la même douceur, la même sollicitude :

« Et tu l'as perdue.

— Et je l'ai perdue, dit Krüdner en écho — comme s'abandonnant, comme se laisse couler le naufragé à bout de forces.

— Par ta faute ? continuait l'Islandais.

— Par ma très grande faute.

— Une femme de quelle sorte ?

— La meilleure, dit Krüdner — il répondait comme à confesse, comme à un prêtre discret, indulgent, secourable. Elle serait morte pour moi, dit-il. Et en un sens, en vérité, elle a fait plus, bien plus pour moi que de mourir. Oh ! beaucoup, beaucoup plus, répéta-t-il avec, dans la voix, une sorte de sanglot à froidir les entrailles. Infiniment. Ne me questionne pas. Il y a des choses qu'on ne peut pas avouer. Maintenant je fais semblant de lui courir après. Semblant de franchir les océans pour essayer de la rejoindre. Mais je sais, je sais pertinemment que je ne la rejoindrai pas. Jamais. Elle est perdue pour moi. Pour elle-même aussi — tout à fait perdue — par ma très grande faute — et c'est... et c'est cette idée-là que je ne supporte pas ! gémit-il en rentrant la tête dans les épaules comme sous l'attente d'un coup. Si je te disais son nom, ajouta-t-il plus tard, peut-être qu'à toi ça ne dirait rien. Mais il y a des milliers, des dizaines de milliers de gens qui l'admiraient et qui la regrettent. Et c'est ma faute. »

Ces derniers mots — dit Knud — bien sûr m'intriguèrent vivement. Des milliers de gens ! Il ne s'agissait donc pas d'une femme ordinaire.

Je demandai à Sturness si Hans en avait dit le nom,

pour terminer. Il secoua la tête : « Non, jamais. »
Puis : « C'est ce qui fait que j'allais lui demander si
du moins il savait où c'qu'elle était, sa bonne
femme... quand j'ai repensé au cap-hornier. J'ai dit :

— T'espères la rejoindre à Santiago ? Mais elle y
sera plus, j'ai dit. Au moins dépose ton baluchon, j'ai
dit, le temps de t'informer de ses étapes successives, à
son bateau.

— Hé ! qu'il dit, c'est ça le chiendent.

— Quoi ? j'ai dit.

— On ne les connaît pas, ses étapes successives. On
n'en connaît qu'une à la fois.

— Et pourquoi ça ? j'ai dit.

— Le capitaine est son propre armateur. Alors il
décharge son fret et il en prend un autre comme ça se
présente, dans le port où il est. Il ne prépare pas toute
sa campagne d'avance, comme le ferait un armateur à
terre.

— Dans ce cas, j'ai dit, arrête-toi quéque part dans
un grand port, où c'qu'il relâchera forcément un
jour, ton cap-hornier fantôme ; tu le sauras par les
agences et tu seras là pour l'accueillir.

« Tout son visage et ses épaules et son soupir à
fendre l'âme m'ont balancé qu'il n'avait pas eu
besoin de moi pour y penser, bien sûr :

— Oui, mais d'abord, qu'il dit, de quoi que j'y
vivrais, dans ton grand port ? Je n'ai plus le rond,
qu'il dit, depuis le temps que j'ai tout lâché — et puis,
et puis, qu'il dit... l'incertitude !... la patience qu'il

faudrait !... Tu te rends compte ? qu'il dit. Mais je deviendrais fou avant huit jours !

« Moi je me dis qu'il l'était déjà, fou, de toute manière. Ces mots, il les avait fourgués de sa voix fatiguée, cassée, et il était si faible que, d'avoir seulement parlé, il en retrouvait pas son souffle. J'ai attendu un peu. Et puis j'ai demandé pourquoi, puisqu'il voulait la retrouver, cette femme, il avait fait l'idiot presque jusqu'à claquer.

— Parce que de lui courir après, qu'il dit, c'était le seul moyen qui me restait pour essayer de vivre. Mais c'est fini, qu'il dit. Je n'en ai plus envie.

— De la retrouver ? j'ai dit.

— Envie de vivre. Il est trop tard pour tout. J'ai tout gâché. Et même, qu'il dit — et sa voix s'est brisée — même si je la retrouvais...

« Mais il n'a pas eu la force, ou le courage, de terminer et, d'un mouvement, il s'est retourné sur le côté, en chien de fusil, le visage vers le mur. Et, après ça, il n'a plus prononcé un mot. »

Comme, pensai-je, dans le conte de Grundtvig, le petit prince malade quand il comprend qu'il va mourir. Et l'Islandais comprit aussi que cet homme-là allait mourir. Pas tout de suite sans doute : le repos le remettrait sur pied, provisoirement. Mais quand un être a perdu à ce point la volonté de vivre, tout instinct de conservation, il n'en faut pas beaucoup pour que la mort l'emporte au premier incident sérieux.

Comme son copain l'avait prévu, trois semaines de

repos absolu permirent au malade de se refaire un peu. Toutefois plus affaibli encore qu'auparavant. Il revint néanmoins à la chaufferie, se ruant au travail avec une sorte de folie rageuse. Sturness ne se retint pas, un jour, non sans brutalité, de lui dire tout crûment que, quitte à se tuer, il y avait des moyens plus expéditifs. « Tu crois ça ? » dit Krüdner sans rien ajouter de plus — et l'autre mit longtemps à comprendre que Hans conservait malgré lui une certaine peur de la mort — une certaine peur du geste à faire : la balle dans la tête, ou l'eau dans le poumon — instant terrible. Alors il enfournerait le charbon avec fureur jusqu'à ce que mort s'ensuive.

C'était, je vous l'ai dit, le dernier voyage du matelot, avant la retraite. Pour ne pas abandonner Krüdner, il pensa un moment à reprendre du service. Et puis l'emportèrent à la fois la sagesse et le découragement. Il ne sauverait pas cet homme. Ce qu'il put faire de mieux, ce fut de persuader le capitaine de débarquer Krüdner et de l'envoyer d'office à l'hôpital, quand le navire relâcherait à Hong-Kong. Hans avait fait semblant de se soumettre mais, après avoir confié au retraité le cliché pris à Frisco et sa dernière lettre, sitôt le navire à quai il avait disparu. Selon Sturness, ç'avait été sans le moindre doute pour s'embarquer encore, malgré — ou à cause de — ce cœur en capilotade. A son avis, il ne résisterait plus longtemps au travail de la chauffe. Il voyait Krüdner mort avant trois mois.

J'en avais grand chagrin pour le bourgmestre. Et,

de plus, sans le connaître, je m'étais attaché au destin de ce Hans, de ce jeune et — selon son père — très brillant avocat ; qui s'était fait soutier à cause d'une femme, d'une inconnue regrettée — selon lui — par des milliers de gens ; et ce, pour des motifs, dont la nature m'était, à l'époque, tout à fait mystérieuse ; qui sillonnait les mers dans une sorte de poursuite follement impossible mais dont le but réel, le but suprême était — selon Sturness — de se détruire...

Je ne me doutais pas, alors, que la clé de l'énigme était là, sous mes yeux, enfin presque sous mes yeux, à Reykjavik même. Depuis quelque temps j'avais bien remarqué le manège d'une femme, aux alentours de la mairie. « Femme de mauvaise vie », comme on dit, selon toute apparence. Je l'avais remarquée parce que, n'eût-elle eu sur ses joues une livre de fards, elle aurait pu être fort plaisante. Je la voyais entreprendre le portier, les huissiers, avec une sorte de timidité peu habituelle dans son métier. Un jour, je demandai à l'un d'eux : « Qu'est-ce qu'elle veut, cette jolie catin ? La clientèle de la mairie ? » Mais l'autre n'avait eu qu'une moue d'ignorance. « Du diable si je le sais, dit-il. Elle en a au bourgmestre. Mais quand on lui propose de l'introduire auprès de lui, elle s'effraie et refuse. On ne comprend rien au juste à ce qu'elle veut. »

Je m'étonnais un peu moi-même de m'intéresser, le moins du monde, à cette femme-là, ayant peu de goût en général pour ses pareilles : j'allais chercher l'amour à un autre niveau et dans le profond ennui des longues nuits de Reykjavik les occasions ne manquaient pas. Pourtant, je trouvais à ce visage trop fardé une étrange séduction, une sorte d'appel pathétique qui vous pénétrait drôlement sous la peau. Je dis :

« Où pratique-t-elle ? Vous le savez ?

— Selon le portier c'est une fille à matelots. Elle n'est pas là depuis longtemps. Elle a débarqué d'un navire, un cap-hornier, je crois, où elle était la maîtresse du capitaine, à ce qu'on dit. Elle habite une des pauvres maisons, vous savez, au bout du port, avec d'autres filles de son espèce. »

Il parlait de ces constructions un peu branlantes, faites de planches mal rabotées, toutes noircies de goudron, aux petites fenêtres vertes ou rouges, qui se suivaient en file, en ce temps-là, à une extrêmité des docks. C'était le pire quartier de la prostitution et le plus misérable.

Je m'attendais à mieux et j'en ressentis — un peu confus — une sorte de déception. Comme si j'eusse rêvé qu'elle fût une de ces courtisanes de haute volée que l'on ne déroge pas à fréquenter. Ce qu'aurait vraiment pu justifier une apparence qui, malgré le fard, ne manquait ni d'élégance ni de distinction.

L'idée ne me venait pas encore, comme elle vous est sans doute venue déjà, qu'elle aurait pu être l'inconnue poursuivie sur les mers par le malheureux Hans. Néanmoins, de la voir rôder autour de la mairie, abordant l'un, parlant à l'autre, cela commençait à m'intriguer. Et aussi cette disparité entre l'indignité de son état et cette distinction naturelle qui émanait de son maintien et de ses traits. Plusieurs fois, elle me regarda passer, comme j'allais rendre visite au bourgmestre, sans oser m'approcher. Je ne suis pas bien fier de ce que je vais vous dire : l'envie ne me manquait pas de l'encourager d'un signe, d'un sourire, mais j'avais peur du qu'en dira-t-on. Un ingénieur municipal ne se commet pas en public avec une fille des rues. J'étais un imbécile. Et j'aurais dû savoir, déjà, qu'il y avait dans cette femme plus de hauteur, de noblesse, de courage que dans la plupart des épouses de notables que je fréquentais à Reykjavik.

Mais je ne le savais pas et simplement je me disais que les matelots, à l'escale, avaient bien de la chance de tomber sur une catin aussi jolie — mot impropre mais je n'osais pas encore me dire qu'elle était belle. D'une beauté, sous le fard, presque superbe dans son harmonie. Outre la pureté des traits, on découvrait dans le regard une profondeur, masquée d'abord par la timidité, qui vous intimidait à votre tour et aurait figé sur les lèvres la moindre insolence. De sorte que, voyez-vous, le jour où enfin, elle osa m'aborder, je me sentis tout remué. Comme si je désirais cela depuis longtemps. Je me donnais pour excuse ma curiosité, puisqu'en effet elle m'intriguait. Mais il y avait aussi en moi cette petite vibration de vanité et d'excitation que je connais bien : celle qu'on éprouve à se voir remarqué par une femme qu'on trouve hors du commun.

C'était un jour de brume, on ne voyait guère à vingt pas, et je me dirigeais en hésitant vers la station de pompage, où m'était signalée une anomalie, et qui se trouve derrière les docks. Une forme venait à ma rencontre, grise dans le brouillard ; c'était cette femme, elle s'arrêta, je m'arrêtai aussi. La surprise avait fait que nous nous regardions dans les yeux. Je vis plus que je n'entendis ses lèvres prononcer : « Monsieur... » sur un ton d'interrogation et de prière. Je dis : « Oui, mademoiselle ? » et elle s'approcha, hésita, dit enfin timidement : « Je voudrais vous parler.

— Mais... faites, mademoiselle.

— Non, pas ici. » Elle vit mon embarras : « Je sais, je sais, oh ! nous pourrions aller à *la Marine* ou *Aux Trois Harengs,* vous n'y rencontreriez personne. Mais nous serions encore plus discrètement chez moi — peut-être ? »

Elle avait ajouté ces deux mots d'un ton précipité, parce que, comme un idiot encore, je n'avais pu retenir mon visage d'exprimer un recul choqué. « Je n'ose pas dire chez vous », ajouta-t-elle alors d'une voix qui me fit un peu honte par son fin mélange d'ironie et de fierté. Et je pris mon parti : « Allons chez vous. C'est loin ?

— Mais non : tout à côté. »

Il me restait encore une crainte imbécile d'être aperçu, mais le brouillard me rassurait. Et ce n'était pas loin, en effet, puisque nous étions derrière les docks. Je vous ai déjà décrit le genre de maison misérable, délabrée qu'elle habitait. Elle en partageait le rez-de-chaussée avec deux autres filles. Mais sa chambre était surprenante.

Presque un salon, un boudoir, très sommairement meublé, mais avec goût et invention. Le lit, dans une alcôve, était invisible. De sorte que, rien ne rappelant ici la prostitution, bientôt toute gêne en moi eut disparu. Il régnait dans cette pièce une ambiance à la fois tiède, feutrée, allègre, presque gaie. Bref, on s'y sentait bien.

Après m'avoir introduit, la jeune femme ferma une porte. Sur le dos de la porte une affiche était punaisée. Sur l'affiche figurait, dessinée par Gavarni ou quelque autre lithographe de son école, l'image d'une ballerine en batelier napolitain, les jambes en jeté-battu et les bras en corbeille. Pas de nom : visiblement l'on avait découpé aux ciseaux la bande de papier où certainement il était imprimé. Mais le visage levé ne laissait guère de doute. « C'est vous ? demandai-je.

— C'est moi.

— Vous étiez donc danseuse ?

— Je l'étais.

— Pourquoi avez-vous cessé ?

— A cause de lui, dit-elle. De Hans Krüdner. »

Elle n'y allait pas, au moins, par quatre chemins ! Tout de suite dans le vif du sujet. M'attendais-je à ce nom ? Au fond, oui : ma surprise fut brève. Ainsi, aurais-je devant moi, me disais-je, la femme énigmatique que poursuit Hans depuis trois ans ?

Mots entendus, rappels, suppositions, envahissaient ma tête. Le cap-hornier. Maîtresse du capitaine. Débarquée depuis peu. Maintenant fille à matelots. « Quel genre de femme ? avait demandé Sturness. — La meilleure, disait Hans. Elle serait morte pour moi, ah ! elle a fait bien plus que de mourir. » Et ces milliers de gens qui la regrettent ! Une danseuse. Fameuse par conséquent. Elle a enlevé son nom. Bon Dieu ! qui peut-elle être ? « Ne cherchez pas », dit-elle comme si elle avait entendu ma pensée : mais c'était mon regard intrigué sur l'affiche qui révélait cette pensée sans peine. « Je ne vous dirai pas mon nom et vous ne le devinerez pas. Je doute qu'on le connaisse en Arctique » précisa-t-elle non sans quelque ironie. « De toute façon, continua-t-elle, vous garderez pour vous tout ce que je vais vous dire. N'est-ce pas ? » Elle le dit, ce « n'est-ce pas », avec une sorte à la fois d'anxiété et d'insolence, en fixant sur les miens des yeux dominateurs. Toute timidité avait disparu. Mais non leur velours noir ni leur tendresse profonde. Je balbutiai quelques mots qu'elle interrompit : « Si vous ne pouviez pas promettre, il vaudrait mieux vous en aller tout de suite. Vous comprenez cela, je pense ? Eh bien, dit-elle de façon subite, je vais vous montrer mon vrai visage. » Et, ce disant, elle disparut pour un moment, revint la figure nettoyée du fard. Mes petits amis, je vais vous dire : pour un peu je tombais amoureux. Eh oui, de cette putain, de cette fille à matelots. Tous les ingrédients qui provoquent une passion étaient rassemblés là : beauté, mystère, réserve, hauteur, un malheur évident. Ce qui retenait mon cœur de s'emballer, c'était de savoir le sien occupé d'un autre, de cet Hans Krüdner. C'était aussi que de la courtiser eût été ridicule, puisqu'il m'eût suffi de quelques kronen pour me payer ses charmes, comme n'importe qui. Mais dès ce moment je me suis attaché à elle. Son souvenir tient grand-place dans ma vie. Oh ! après tout, on pourrait appeler mes sentiments pour elle une sorte d'amour. Une sorte, même, exquise, parce que désintéressée. Totalement désintéressée. Je l'aimais vraiment pour elle-même, sans en attendre rien.

Mais j'anticipe. Je n'en suis, pour le moment, qu'à contempler ce visage nettoyé de fard, et à le trouver beau. Et qu'à me sentir tout excité par le mystère. Impatient de le connaître. En fait, je ne l'ai jamais connu. Elle ne m'a rien révélé sur elle et je n'ai pu avoir aucune certitude. Et si je vous dis un nom, c'est une pure hypothèse. Bâtie sur des recoupements, des dates, une photographie. Eh bien, voilà : je crois que cette putain, cette fille à matelots, c'était Saar Jorgensen.

— Quoi ! s'écria Sophus. La Forlarina ? »

C'est un nom un peu oublié aujourd'hui, mais il avait eu son heure de célébrité. Surtout au Danemark : car la Forlarina, de la Scala de Milan et que tout le monde croyait italienne, étant née à Copenhague, avait été chez nous une manière de gloire nationale. Outre ses succès avant qu'elle eût quitté la scène, ce que l'on se rappelait de la danseuse étoile, c'était deux ou trois choses dont un esclandre avec le Tsar ; mais surtout ses disparitions successives. Elle était jeune ballerine à notre Hof Théâtre quand elle avait disparu une première fois. Elle avait reparu peu après à l'Opéra de Hambourg, encore sous son vrai nom — on l'appelait « la petite Saar » (corruption de Sarah — selon notre pédant de Peter Gude — du temps où l'on évangélisait les Vikings). Quelques années plus tard, elle avait disparu une deuxième fois, puis réapparu en vedette à Milan, sous le nom, cette fois, de la Forlarina (baptisée ainsi par Bambrini, le maître de ballet, né lui-même à Forli). C'est sous ce nom qu'elle devint célèbre. Pour son talent, mais en partie aussi parce que, lors d'une visite du Tsar à Rome, elle avait refusé ses avances. Et la Russie avait failli rompre avec l'Italie, à l'heure même ou Cavour s'apprêtait à chasser de Lombardie les Autrichiens. On avait illico expédié l'objet du litige en Amérique, pour une tournée improvisée qui n'en fut pas moins triomphale. C'est au beau milieu de ce triomphe qu'elle avait disparu une troisième fois, entre Omaha et Denver, et cette fois pour de bon, enlevée, selon la légende, par un archiduc, qui la cachait dans son château hanté de Transylvanie. A l'heure où Knud nous faisait son récit, on attendait en vain une troisième réapparition. Puis l'oubli s'était fait avec le temps.

— Mais oui, disait Knud à Sophus, mais oui, la

Forlarina ! Encore une fois, sous toutes réserves. Rien ne le prouve ! C'est une idée à moi, un point c'est tout. Mais si ce n'est elle, c'est donc sa sœur, aurait dit ce bonhomme dont mes professeurs de français m'ont rebattu les oreilles. Sa sœur en chorégraphie, sa sœur en aventures. Le parallélisme est troublant.

Nous étions donc là, face à face, dans son boudoir, à nous dévisager l'un l'autre, moi subjugué par sa beauté, elle, se demandant sans doute jusqu'où elle pouvait aller dans ses confidences. « Vous êtes très ami avec le maire ? demanda-t-elle avec une sorte d'impatience anxieuse.

— Mon Dieu, assez.
— Il vous parle de son fils ?
— Parfois. Cela arrive.
— Où est-il ?
— Le maire ?
— Où est Hans ? » cria-t-elle.

J'hésitai. Dirais-je ce que je savais ? Et qu'il était en train de mourir ? J'eus l'intuition que le coup serait trop violent, qu'il risquait, sinon de la tuer elle-même, au moins de l'anéantir à mes pieds. Je résolus d'être prudent. Elle avait vu mon hésitation. « Il n'est plus à Hambourg, dit-elle. Quand nous y avons relâché, je me suis renseignée, il a depuis longtemps fermé son cabinet, quitté la ville. J'ai su que son père était à Reykjavik. C'est pourquoi j'ai débarqué ici. Oh ! je ne croyais guère y trouver Hans. Mais je n'ose pas voir le bourgmestre parce que... Elle s'interrompit.

— Parce que ? dis-je doucement.

— Parce que je ne sais pas ce qu'il sait, lui, de tout cela, de Hans et de moi ; et que peut-être — il en aurait bien le droit — peut-être il me méprise, il me déteste. »

Je me dis qu'elle n'avait pas tort : si le vieux Krüdner apprenait que son fils courait les mers après cette femme, qu'il ne le voyait plus à cause de cette femme, ses sentiments pour elle ne seraient que trop prévisibles. Je n'avais pas les mêmes raisons et, à mesure que je l'écoutais, la regardais, le désir croissait en moi de la rendre heureuse. Hélas, non : de la rendre le moins possible malheureuse. Je dis : « Aux dernières nouvelles, Hans était à Hong-Kong et allait s'embarquer pour Santiago. »

Elle plissa son front avec une force extraordinaire. Comme si je venais de lui poser, en exigeant une réponse dans les dix secondes, une mutliplication à quatre chiffres. Ses yeux s'écarquillèrent, ses lèvres s'ouvrirent, et les mots en sortirent comme un cri : « Mais alors, s'exclama-t-elle, mais alors... il me suit ?

— Depuis trois ans, lui dis-je.

— Comment le savez-vous ?

— Peu importe, pour le moment. Si vous avez relâché à Hambourg, il a dû y passer derrière vous ; et puisque vous êtes ici, très probablement il est en ce moment en route pour Reykjavik.

— Non, dit-elle. O mon Dieu, mon Dieu, non !
gémit-elle. Nous avons relâché entre-temps à Chypre
et à Dakar et *la Belle Andenne* a dû déjà, depuis que je
suis ici, toucher à Lübeck et ensuite Dieu sait où ! Il a
eu le temps de faire le tour de la Terre. Mon Dieu,
mon Dieu ! » répéta-t-elle en se tordant un peu les
mains.

Je compris aussitôt qu'elle avait raison : ne la
sachant pas débarquée, Hans devait continuer sa
poursuite du cap-hornier, lequel continuait, lui, son
errance en zigzag, d'un port à l'autre, d'une cargaison
à l'autre. Où cette poursuite l'avait-elle emmené, à
l'heure où nous étions ? Je vis la jeune femme se
ressaisir comme un cavalier maîtrise sa monture. Elle
dit : « Il faut télégraphier. » Mot étrange à l'époque,
presque comique : tout ce qui existait en fait de
télégraphe, c'était le câble déroulé deux ans plus tôt
au fond de l'Atlantique, pour relier Londres à New
York. Mais nous étions en Islande. Pas de câble en
mer du Nord.

« Il faut, dit-elle, confier un message à un navire
partant pour Londres. Et, de là, qu'on le télégraphie
à toutes les grandes agences. Quand Hans cherchera
un embarquement, il sera prévenu.

— Mais, dis-je, cela va coûter une fortune !

— J'aurai l'argent », dit-elle.

L'argent n'était pas tout : il faudrait ensuite passer
par le bourgmestre ou un autre marchand, pour
confier le message à un capitaine en partance.
« Pourrez-vous m'aider ? »

Je dis que pour m'entremettre, il faudrait honnêtement que j'en sache un peu plus : sur Hans, sur elle, sur ce qui était arrivé. J'ajoutai qu'elle pouvait se fier à moi et à ma discrétion — et je souhaitai ardemment la convaincre : sa gratitude ensuite me chaufferait le cœur, si je lui ramenais Hans.

Elle attendit un peu et soupira : « Je n'ai pas le choix. » Puis : « Que voulez-vous savoir ? »

Je pensai qu'il fallait saisir le taureau par les cornes et je dis : « Pourquoi faites-vous ce métier ?

— Par dignité », dit-elle.

Elle sourit de ma surprise. Elle rectifia un peu : « D'abord parce que j'y suis forcée, bien entendu. Il me faut cet argent. Je ne dépense rien et je l'amasse. La dignité, c'est ce que j'ai à sauver. La propreté d'un nom que je ne veux pas voir sali. Et qui le serait si l'on savait qui je suis. Et c'est pourquoi vous ne le saurez pas, ni personne. J'ai quitté Hans pour cela, et la danse : pour sauver ce nom d'une salissure abominable, oui, d'un scandale abject qui allait éclater quand j'ai fui. Fui pour la dernière fois, et la bonne : car j'avais déjà fui, mais Hans chaque fois me retrouvait et tout recommençait. Alors j'ai embarqué sur *la Belle Andenne* ; le capitaine était amoureux de moi, je suis devenue sa maîtresse pour rester à bord, une femme entretenue ; et maintenant ici je fais la grue. Mais mon nom, lui, mon nom du moins est intact. »

Elle répéta : « Intact », avec une sorte d'énergie

farouche ; et ce fut d'autant plus pathétique de la voir subitement, s'effondrer, marmotter : « Mais c'est fini. Je suis au bout du rouleau. Je n'en peux plus. De fuir, et de fuir cet homme. Je l'aime. Je me rends et j'abdique. Je suis ici pour l'y attendre, et vivre et mourir avec lui — quand même ce devrait être une dernière fois l'enfer. »

L'écoutant, je me demandais de quel enfer elle pouvait bien parler ; celui qu'elle vivait, le malheur qu'elle vivait comme fille à matelots après avoir été, sans aucun doute, une artiste réputée, peut-être même la Forlarina, ne me paraissant guère pouvoir être surpassé. Mais il y avait, je vous l'ai dit, tant de hauteur intimidante en elle que je n'osais pas la questionner. Elle s'était reprise et proposa : « Un peu de thé ? » C'était une bonne détente et j'acceptai. Elle fit chauffer de l'eau sur un réchaud, le dos tourné. Et c'est ainsi, le dos tourné, qu'a commencé la confession.

Mais de façon si hésitante, et décousue, et douloureuse, que je serais bien incapable d'en retrouver les mots. Un seul les résume tous : le vice. Je n'ai pas d'abord compris s'il s'agissait d'un vice propre à Krüdner ou à elle. Elle dit : « A tous les deux. » Je n'ai pas non plus tiré au clair quelle forme il avait pris, ce vice, exactement. Je veux dire dans le détail. Et comme je n'ai aucune imagination dans le domaine des perversions sexuelles, vous devrez rester, tous, sur votre faim. Comme je suis resté sur la mienne. Sachez seulement — c'est tout ce que j'ai compris — que leur perversion exigeait une troisième présence, aussi abjecte que possible, un voyou de préférence, une canaille des bas-fonds. Pourquoi cela ? Parce que l'intensité du plaisir, de la jouissance, dépendait de l'abjection, de l'humiliation que Hans et elle ressentaient ensemble. Oui, voilà le mot clé, il revenait toujours : l'humiliation. Plus les amants s'abaissaient à subir d'une crapule des pratiques ignobles et humiliantes, plus vive était leur jouissance. Il faudrait relire Sade. Mais j'avoue qu'il m'embête. D'ailleurs, ce qu'ils faisaient en vérité, ce n'est pas l'important : ce sont les conséquences. Mais je vais trop vite, et mettons un peu d'ordre.

Elle se croyait, quand elle a connu Hans, une femme tout à fait normale, disait-elle. Elle venait de briser une liaison sans histoire lorsque Krüdner, étant venu de Hambourg à Copenhague pour y plaider, et l'ayant vu danser — il était grand amateur de ballets — l'avait attendue à la sortie. Econduit tout d'abord, il était revenu tous les soirs. Il était beau, il parlait bien, bref, les voilà bientôt tous deux amoureux fous. Pour l'emmener avec lui, l'a-t-il fait engager à l'Opéra de Hambourg ? Si c'était bien Saar Jorgensen, c'est établi, effectivement ; mais à vrai dire je n'en sais rien, elle ne m'a rien confié. Je ne sais donc pas où se produisaient leurs dérèglements. Ni pourquoi ni comment ils ont commencé. A ce que j'ai pu deviner à travers quelques mots, ce dut être, pour elle, par surprise. Un souper, après un triomphe : revenant tous deux un peu pompettes, lui achevant, à la maison, de l'enivrer — c'est du moins mon idée, elle n'a jamais voulu l'accuser de rien — et ajoutant peut-être quelque aphrodisiaque ; toujours est-il qu'elle s'est retrouvée nue, échevelée, bacchique, entre les bras d'un inconnu, pénétrée, fouettée, humiliée sous les yeux exorbités de son amant haletant. Et de cette humiliation éprouvant, à sa stupeur émerveillée, épouvantée, une jouissance formidable. Et devenant de ce moment esclave de ce vice, de cette révélation foudroyante d'un plaisir qu'elle n'avait jamais, auparavant, connu aussi intense, aussi océanique. Et ne pouvant plus désormais s'en passer. Elle ne m'a pas dit tout cela clairement, c'est ce que j'ai fini néanmoins par comprendre. Et ce devait être des séances incroyables d'abjection et de brutalité car, au matin, parfois, elle s'éveillait malade, écœurée, couverte de bleus et d'ecchymoses au point que, le soir, elle ne pouvait danser. Elle a commencé de prendre peur : pour sa carrière, car elle avait de l'ambition. Un soir, elle fut remplacée au théâtre par une rivale plus jeune qu'elle. Un autre soir, un de ces troisièmes larrons engagés par Krüdner pour leurs bacchanales les assomma et s'enfuit avec les bijoux. Il fallut les conduire à l'hôpital. Le scandale fut évité de justesse, l'agression mise au compte d'un cambrioleur. Mais son appréhension était devenue panique et, surmontant l'amour et le plaisir, un sursaut salutaire lui a donné le courage de s'enfuir une première fois. Elle n'a pas dit où. A Milan ? Peut-être bien. Et pendant deux années, Hans la recherche, sans la trouver, à la sortie de tous les opéras d'Europe, soit qu'elle se cache sous un nouveau nom — la Forlarina ? — soit qu'elle change constamment de théâtre ou de ville. Je n'en sais rien. Discrétion, discrétion. Mais pour finir, d'une façon ou d'une autre, il la retrouve. Et tout recommence, en pire : le vice est comme la cocaïne, le plaisir fuit avec l'accoutumance et il faut augmenter la dose. Ici la dose, c'est l'abjection. Hans va chercher ses complices de plus en plus bas, des brutes de plus en plus ignobles, crapuleuses. Deux ou trois fois encore ils n'échappent au scandale que de justesse. Arrive l'épisode avec le Tsar, suivi de la tournée impromptue mais triomphale en Amérique — mais qu'est-ce que je dis ? je confonds tout : ça c'est vraiment la Forlarina — en Amérique donc, ou ailleurs, elle n'a pas dit où, dans un pays en tout cas où règnent de terribles maffias. Et c'est là qu'un de ces maffiosi, recruté par Krüdner, comprend tout le parti que sa bande peut tirer de la célèbre danseuse en menaçant de tout révéler, et entreprend de la faire chanter. Cette fois, elle comprend qu'elle est perdue. Ces gens-là ne vous lâchent jamais qu'ils ne vous aient, comme un citron, pressé jusqu'à la dernière goutte. Elle va sombrer en pleine gloire. Alors, c'est en pleine gloire qu'elle décide de s'effacer, avant qu'il soit trop tard. De quitter la scène. De disparaître dans la nature. Trop tard, ce l'est presque déjà : le maffioso et sa bande ne la quittent plus d'une semelle. Sans donc attendre une heure, sans même faire ses valises, elle quitte l'hôtel subrepticement, saute dans un train et du train dans un bateau, un cap-hornier dont le capitaine tombe aussitôt amoureux d'elle. Mais attendez, ce n'est pas cette fois-là qu'elle devient sa maîtresse. Elle s'est fait débarquer quelque part — je soupçonne en Amérique du Sud. Décidée à y rester dans l'ombre sinon jusqu'à sa mort, au moins pour quelques années, le temps d'être oubliée, hors de danger.

Elle a emporté une fortune en bijoux, dont elle espère vivre. Las, à peine a-t-elle débarqué qu'ils lui sont volés. La voilà sans un sou. Et sans ressource. Dans un pays dont elle ignore la langue. Pas question de danser : elle serait reconnue. Alors, commence la deuxième déchéance : celle de la prostitution. Déchéance ? Ce n'est pas ainsi qu'elle ressent ni juge ce qui lui arrive. Certes, il y a eu un dur moment pour sa fierté, à l'instant d'aborder le premier client. Mais justement : se vendre, c'est s'humilier. Et elle retrouve, sous une autre forme, ce qui l'attachait à Hans comme un forçat à son boulet : la jouissance de l'humiliation. Quand un homme — là-bas quelque gaucho, ici quelque marin — la brutalise, l'écrase de son mépris et lui jette une pièce comme un crachat, elle vibre sous l'affront, se pâme, elle se retrouve. « Et voilà, conclut-elle. N'essayez pas de comprendre. Avec l'humiliation, la honte, c'est Hans qui pénètre en moi, l'amour que j'ai pour lui. La haine aussi — je vous surprends ? Oui, je le hais, comme je hais mon plaisir. Mais c'est le plaisir et c'est l'amour — passions horribles mais qui me comblent. C'est trop compliqué pour vous, qui avez le cœur simple et l'âme saine. Mais il fallait, dit-elle, que vous sachiez cela. Eh bien, c'est fait. »

Restait à m'expliquer comment elle s'était retrouvée la maîtresse de ce capitaine, à bord de son cap-hornier. Dans le pays où elle avait échoué pour se cacher de tous, de Hans en premier, elle n'avait pu supporter longtemps d'être sans nouvelle de lui. Elle écrivit à Hambourg, ne donnant toutefois pour adresse où répondre que celle d'une poste restante. Mais Hans, au lieu de répondre, prit lui-même le bateau et se mit à rôder, chaque jour, à l'heure du courrier, autour du bureau de poste. C'est ainsi qu'elle se sentit un soir prise par le bras — et c'était lui, c'était Krüdner. A la joie fulgurante qu'elle ressentit, elle sut que c'était ce qu'elle avait désiré, malgré elle — avec leur affreux paradis infernal. Et elle entrevit l'avenir avec une clarté effrayante. Ayant apporté quelque argent, Hans l'affranchirait sans doute de la prostitution ; mais ce qui s'ensuivrait serait une déchéance bien pire ; et dans ce pays où régnait, à côté de la richesse colossale de quelques colons espagnols ou portugais, une misère énorme et implacable, ce qui serait au bout, elle le savait bien : ils se feraient assassiner. Il y aurait enquête. La police découvrirait son nom. Et il serait sali, ce nom, et à jamais, après sa mort. Alors, ayant appris que son cap-hornier venait de relâcher de nouveau et allait repartir pour Lisbonne, elle n'eut aucun mal à se faire prendre à bord. Mais, à Lisbonne, après trente-huit jours de traversée, le vieux capitaine s'était épris d'elle à tel point qu'il voulait l'épouser. Elle ne l'épousa pas, mais elle resta sur le bateau. « C'était bien, disait-elle : ainsi je ne pourrais céder encore une fois à la tentation, à celle de donner à Hans le moyen de me rejoindre, et je sauvegarderais du moins quelque fierté et un dernier respect de moi. » C'était une sorte de pari. Elle crut le gagner pendant trois ans. Non qu'à aucun moment elle parvînt à oublier Hans. Pendant des mois et des mois et bourlinguant sur toutes les latitudes, elle croyait bien un temps avoir chassé Krüdner de sa mémoire, ou plutôt de son cœur — et puis en débarquant à Smyrne, à Singapour ou à Casablanca, elle se sentait soudain pâlir à la pensée qu'elle pourrait le trouver là, sur le quai, à l'attendre. Et le cœur lui manquait de n'y voir personne. « Mais jamais je n'aurais pensé... »

Jamais elle n'eût imaginé que Hans, abandonné — ayant compris par les horaires maritimes que sa maîtresse n'avait pu fuir que sur *la Belle Andenne* — serait assez épris et assez fou pour tout lâcher, fortune, métier, clients, et entreprendre — comme soutier — cette poursuite sans espoir ! « Maintenant, dit-elle, vous savez tout. Et moi aussi. Je ne vous demande pas ce que vous en pensez. Je n'attends pas de vous un jugement. Encore moins une absolution. Je vous demande votre aide. Je vous prie de m'aider à faire en sorte que Hans maintenant puisse me rejoindre. »

J'étais bien malheureux : d'une part, je n'avais pas encore osé lui révéler ce que je savais de Hans, de son état. Et d'autre part, ce que Saar attendait de moi — oh, après tout n'est-ce pas, nous pouvons bien l'appeler Saar, qu'est-ce que nous risquons ? — c'était de retrouver, avec Hans, leurs abominations. Devais-je lui obéir ? Quoique ces abominations, je me disais que, lui, il était bien hors d'état de s'y livrer à nouveau, à supposer qu'il l'eût voulu. Et j'étais persuadé qu'il ne le voulait plus, qu'il ne voulait qu'une rédemption. Et je regardais Saar et j'admirais que, ayant subi et subissant encore cette existence d'avilissement, elle conservât néanmoins tant de hauteur, de fierté et d'élégance d'âme et de corps, de noblesse même. J'étais profondément remué ; et j'aurais bien voulu, j'aurais été heureux — oui, plus qu'heureux — de la tirer de là. Je lui proposai subitement, perdant toute prudence respectable, de l'entretenir comme on fait d'une maîtresse, sans rien demander en échange. Alors, elle m'embrassa sur les deux joues, avec un rire un peu amer, un peu tragique ; mais je compris, je sus qu'il serait vain d'insister, et je n'insistai pas. Toutefois, ayant accès aux lettres que recevait le bourgmestre, et ainsi aux adresses successives de son fils, du moins je m'efforçai de retrouver Hans. Et par bonheur, j'y réussis ! Par bonheur et malheur : car si, grâce à mes recherches, Krüdner put être rejoint et prévenu ; s'il se fit peu après embaucher comme chauffeur, à Charleston, sur un schooner suédois à destination de l'Islande, lorsqu'il parvint à Reykjavik, il y avait plusieurs jours déjà qu'il était mort.

Knud se tut un instant. Nous pûmes tous voir qu'à ce point de son récit il retrouvait une émotion ancienne. Sa gorge s'était nouée, il dut tousser pour l'éclaircir. Et moi aussi j'étais ému, un peu.

— Mort à la tâche ? demandai-je, et tristement j'imaginais Krüdner, je le voyais enfournant son charbon avec des gestes de plus en plus lents. Et lourds. Et maladroits. Et enfin, trébuchant, s'affalant devant sa chaudière dans un bruit de pelle renversée — et ne se relevant plus.

Mais Knud secouait la tête.

— Non, disait-il. Mort à la tâche ? Enfin, oui, si l'on veut, mais indirectement. Entre les Bermudes et Terre-Neuve, une dysentrie maligne s'est propagée dans l'équipage. On débarqua sur l'île les plus malades. Krüdner ne l'était pas encore. Il ne ressentit les premiers symptômes — je tiens tout cela du médecin du bord — qu'au large du Labrador. Il résista d'abord assez bien, parut devoir guérir. Mais sa faiblesse était trop grande. Une rechute l'emporta en une nuit. « Il a lutté de toutes ses forces, me dit le médecin. Mais il était usé jusqu'à la corde. J'ai rarement vu, à cet âge, un organisme aussi délabré. Son cœur ne tenait qu'à un fil et, à trop tirer dessus, il devait casser au premier choc. C'est ce qui est arrivé. »

Mais de cela je ne savais rien quand l'approche du Schooner fut signalée. Et je reste jusqu'à présent surpris de l'idée qui m'a pris de monter le premier à bord, et d'en empêcher Saar comme elle s'y préparait. Quel soupçon m'est venu ? Quelle prémonition ? Et pas seulement en moi, en elle aussi : car je n'eus aucun mal à la dissuader. Déjà lorsque Krüdner, dans sa dernière lettre — la joie du vieux ! Elle me fait mal rien que d'y songer — avait averti son pere qu'il cinglerait bientôt vers Reykja-vik : « Mais je suis fatigué », disait-il, au lieu de manifester, elle aussi, de la joie, Saar était devenue toute pâle. J'avais dû la soutenir. Sur le moment, je m'étais dit que c'était l'appréhension de l'enfer que ce retour lui promettait. Depuis, je pense au contraire que son intuition féminine m'avait percé à jour. Et que, bien que je lui eusse caché les prédictions du vieux matelot et la terrible photographie dont je vous ai parlé, prise pourtant à une époque où les forces de Krüdner déclinaient à peine, et le « je suis fatigué » de la dernière lettre, elle avait pressenti ma crainte de le voir arriver dans un état de faiblesse quasi désespéré. Aussi craignais-je pour elle ce premier contact. Néanmoins, quand je montai à bord, je ne m'attendais pas à ne trouver qu'un cadavre ! Quel coup quand, dans la cale, on me montra le corps, tout entouré de glace pour retarder la décomposition. Et sur le quai, là bas, Saar qui attendait, dans la hâte et l'espoir, à la sortie du débarcadère ! Lequel aboutissait juste devant sa petite maison minable. Ses deux compagnes étaient à la fenêtre. Quelques autres aussi, aux fenêtres des maisons voisines. En sorte que ce qui s'est passé alors a eu de nombreux témoins. Sinon en aurais-je cru mes yeux et mes oreilles ? Je ne sais pas. Car voici, mes amis : on avait descendu le mort, allongé sur un brancard et couvert d'une bâche, dans le canot. J'étais debout, dirigeant les rameurs. Je me félicitais — avec désolation — d'être au moins là auprès de Saar pour amortir le choc. Le canot aborda. C'était la nuit, plutôt la fausse nuit polaire — quand le soleil là-bas, énorme et cramoisi, flotte à minuit, avant de remonter, sur l'horizon marin — et sa lumière nocturne ressemble au crépuscule en Danemark. J'apercevais, à la naissance de la jetée, Saar, indistincte et immobile, silhouette blanche un peu onirique. Quand nous fûmes sur le môle, je crus — avec effroi — qu'elle allait joyeusement courir et se précipiter vers nous. Mais non, elle ne bougeait pas. Elle restait droite et sans mouvement, dans une attitude d'attente pétrifiée, telle la figure tragique d'une Orestie. Nous approchions lentement. Et c'est alors, quand nous fûmes à vingt pas, que je me suis senti pris et tiré par le bras.

J'ai entendu un cri, plutôt un double cri épouvanté et le choc du brancard sur la dalle et la panique précipitée des deux porteurs. Les doigts qui s'accrochaient à moi ne m'avaient pas lâché. Je me

retournai et c'était cela : c'étaient les doigts du
trépassé. Jaunes, exsangues. Les ongles poussent
après la mort : ils étaients longs et crochus. Le bras
avait jailli hors de la bâche et la main agrippé ma
manche. C'était si fantastique que je n'en ressentis
pas la moindre peur. Rien qu'un immense
étonnement. Et une curiosité intense : qu'allait-il
arriver maintenant ? Le brancard, abandonné par les
porteurs, gisait à mes pieds. Le bras repoussait la
bâche qui glissa doucement, découvrant le visage du
défunt. Comme il arrive souvent, les traces creusées
par la vie, l'âge, la maladie, le vice, s'en étaient
effacées, la mort lui avait restitué sa beauté, sa
jeunesse. Certes la peau avait pris la couleur de la
paille, elle était transparente ; mais doucement
tendue et d'une pureté de cire. Les yeux s'étaient
ouverts sur une pupille sans regard. J'étais si attentif
que je ne fus pas surpris de voir la tête se soulever.
Puis l'autre bras prendre appui sur la barre du
brancard. Et se dresser tout le buste, effroyablement
maigre sous le caban marin. Il y eut une sorte de
hoquet qui secoua ce buste tandis que, pour se lever,
le mort tirait sur mon bras ; il tirait de tout son poids
et je tenais bon comme j'aurais fait pour aider un
malade à se mettre debout. Toujours sans aucun
effroi : rien que cette intense curiosité à l'égard d'un
phénomène inouï. Je me disais même clairement que
si un cadavre pouvait se ranimer, tout était à revoir de
mes certitudes. Et celui-là maintenant, ce mort dont
je respirais avec horreur la pestilence épouvantable —

le corps s'en décomposant, malgré la glace, depuis
près d'une semaine — maintenant il m'avait lâché
et avançait, avec des mouvements si raides de ses
jambes qu'ils semblaient ceux d'un automate,
traînant ses semelles sur le pavé. Deux fois, je crus
qu'il perdait l'équilibre, allait tomber ; mais quelque
chose le redressa, comme une poigne extérieure qui
l'aurait tenu droit. Moi, je ne bougeais pas. Et Saar
pas davantage, qui le regardait ainsi venir vers elle,
titubant et fantomatique. Saar dont le visage, dans la
pâle lumière de la nuit blanche, avait blêmi de la
même pâleur d'albâtre, s'était figé dans une rigidité
de pierre. Mais dont l'expression — ou l'absence
d'expression — ne montrait, elle non plus, pas la
moindre surprise, encore moins la moindre
épouvante. S'il m'eût fallu la décrire en deux mots,
j'aurais dit : un apaisement désespéré. Car en
redoutant que Saar fût prise au dépourvu, je m'étais
lourdement trompé : rien qu'à nous voir dans le
canot, sa perspicacité avait compris d'emblée ce que
je lui ramenais. Et que ce mort, ensuite, s'approchât
d'elle comme il l'eût fait de son vivant, qu'y avait-il là
d'extraordinaire ? Est-ce qu'on aime une femme au
point de la poursuivre trois années à travers le
monde, est-ce qu'on la poursuit avec un tel
acharnement pour échouer au port ? Pour au dernier
moment se laisser interdire de la rejoindre par une
chose aussi dérisoire que la mort ? Et maintenant, le
mort était devant elle, à cinq pas. Et ils restaient là,
face à face, immobiles, muets — ils demeurèrent ainsi

un espace de temps que je ne mesurai pas, tant il me parut insoutenable. Peut-être fut-il assez court. Mais le temps lui-même, me semblait-il, avait cessé de s'écouler, suspendu. Après tout, si les morts peuvent se lever, le temps peut bien se suspendre aussi. Plus rien ne me paraissait impossible ni absurde. Et quand la bouche parla — d'une voix si grave, si lointaine, si souterraine qu'elle aurait pu provenir du fond des mines de Mecklenbourg — ni Saar ni moi n'en fûmes davantage surpris.

« Je suis mort », dit la voix profonde.

Et quand même, d'entendre ces mots-là, il eût fallu plus de sang-froid que je n'en avais pour conserver une attention intacte, pour retenir les mots d'un dialogue insensé. Saar a dit simplement, d'un ton parfaitement plat, quelque chose comme « je le vois bien », mais elle était à ce point exsangue qu'elle aurait pu être un cadavre elle-même. Étrange spectacle, je vous assure ! Le trépassé disait : « Je n'ai pas pu attendre. Trop malade », disait-il — il s'excusait d'être mort ! Ensuite Saar lui a dit d'approcher : « Viens plus près », disait-elle. Il y avait, dans son expression, un stupéfiant mélange d'amour fou, de profonde pitié et de froide colère. Comme si tous les sentiments qui l'avaient agitée, partagée depuis dix ans à l'égard de Krüdner éclataient à la fois dans cette ultime minute. Et comme il disait : « Je ne peux pas, je vais tomber », elle avait fait remarquer, avec une sorte de sanglot, qu'il ne tomberait jamais plus bas qu'ils n'avaient

déjà chu ensemble. Et lui : « Je sais, dit-il. Je me
repens » — ce qui provoqua en elle un rire, une ironie
à vous tordre le cœur : « Il est bien temps, dit-elle.
Approche. »

Et cet homme mort a fait un pas. Mais, pour y
parvenir, ce fut comme s'il avait dû soulever des
souliers de cent tonnes. Puis il a fait un pas encore.
Puis encore un. Et quand il fut de Saar à la distance
d'un bras, il s'arrêta. Mais il ne put pas le soulever,
son bras — trop lourd aussi, je pense. Et tout le corps
se balança un peu, comme incapable de retrouver
tout seul la verticale. Et ce fut Saar qui leva la main,
toucha la poitrine de l'index et suspendit le
balancement. Moi, d'émotion, mes oreilles
bourdonnaient et je ne peux vous rapporter ce que ce
mort et elle se sont dit. Il y avait, dans les paroles de
Saar, toujours ce mélange insensé d'amour, de pitié,
de colère avec lequel elle déballait son cœur. Et Hans,
sans relâche, lui demandait pardon. Et elle se
plaignait : « Je t'ai déjà pardonné si souvent... » Et
lui : « Je t'aimais, disait-il, et il répétait : Pardonne. »
Il disait — ce mort — qu'il lui fallait son absolution.
Qu'il resterait debout, ici, un mort debout, tant
qu'elle ne l'aurait pas absous. Je la sentais farouche,
nerveuse, désespérée, épouvantée et satisfaite. « Et
ensuite ? » disait-elle. Et lui : « Tu me feras porter en
terre. Je n'y pourrirai pas davantage que je ne l'ai fait
de mon vivant.

— Ni moi », dit Saar ; mais sa voix était douce.

« C'est bien », dit-elle encore. Et puis : «. Nul homme au monde n'aura été aimé autant que toi.

— Je sais, répéta-t-il. Je sais. Pardonne-moi devant Dieu. »

Elle n'a pas répondu tout de suite — et muets, immobiles, ils se regardaient — et le temps de nouveau a paru suspendu, et le visage de Saar a retrouvé ses couleurs, et l'amour seul l'illuminait. Et enfin, elle a murmuré : « Devant Dieu, Hans, je te pardonne tout. »

Alors il est tombé d'une masse. Comme un cheval qu'on abat, comme si l'avait subitement lâché la poigne qui le tenait debout. Je me précipitai. Mais elle me devança : « Non, non ! monsieur, dit-elle, laissez-le moi ». Et avec une surprenante vigueur, elle releva le mort en le prenant sous les genoux, sous les aisselles, et l'emporta comme on emporte au lit un enfant endormi.

Et j'ai vu cette femme — comme tous les présents, les autres, les filles aux fenêtres, l'ont vue — marcher vers sa maison avec son fardeau qui ne paraissait pas peser sur ses bras plus qu'un duvet. Il est vrai qu'il n'avait plus guère que la peau sur les os. Elle est entrée avec son mort, et moi, comme un couillon, je ne savais que faire. Ni même que penser. Avais-je bien vu et entendu ? Toute cette scène n'avait-elle pas été une hallucination ? A peine si, Hans et Saar disparus, je pouvais encore en croire mes sens. Enfin, je me suis secoué, et j'ai pensé au père — qui ne savait rien encore, qui attendait son fils dans l'espoir et la joie — et à l'état civil, à la police, à tout ce que je ne pouvais pas ainsi laisser en plan. Je ne vous décrirai pas l'affliction du bourgmestre, ça n'a pas été un moment agréable, non, vraiment, pas du tout. Le commissaire aurait voulu qu'il nous accompagnât pour identifier le corps. J'ai obtenu que le vieil homme fût laissé tranquille à cuver son chagrin, le temps de reprendre son calme et ses esprits. Et nous sommes repartis ensemble cueillir le médecin légiste.

En route, je leur ai dit tout ce que je savais — sur la danseuse, ses fuites, son honneur et le reste. En parvenant sur le quai, nous avons aperçu une grande agitation. Une vingtaine de personnes au moins, des femmes surtout, devant la maison basse. Cela faisait un bourdonnement de ruche. Elles se sont tues en nous voyant et se sont écartées pour nous laisser entrer.

Ils étaient allongés sur le lit, côte à côte. Elle s'était, avec un couteau de cuisine, tranché la carotide et sous eux le drap était complètement rouge. Nous sommes restés longtemps silencieux, à les regarder tous les deux si purs, si calmes. Enfin le commissaire, ayant toussé, a dit — je n'ai pas reconnu sa voix : « Qu'est-ce qu'on fait, docteur ?

— Ma foi, dit le médecin — sa voix aussi avait changé — ma foi, est-ce qu'il n'y avait pas épidémie à bord ?

— En effet, confirmai-je.

— Par conséquent il en a trimballé les miasmes avec lui, l'a introduite dans cette maison, en a infecté cette femme. Morts tous les deux de dysenterie maligne. *Ergo* il n'y a pas lieu de retarder le permis d'inhumer et on les enterre ensemble, sans histoire, et surtout, sans police, sans journalistes, pas d'enquête, pas de nom jeté en pâture. Qu'en dites-vous, commissaire ? Je signe ?

— C'est votre métier, docteur », dit le commissaire et, tout policier qu'il fût, il avait l'œil humide en serrant le bras du médecin.

A celui-ci je demandai plus tard si, au cours de sa carrière, il avait connu des cas de mort apparente et s'il pensait que Krüdner aurait pu, après être resté six jours dans la glace, inanimé, se trouver en vie encore une heure plus tôt. Le médecin fit la moue. « J'ai, dit-il, assisté, fort rarement, à quelques cas de catalepsie... Jamais encore si longtemps ni à un tel point. Et la mort de ce défunt-là me paraît bien avancée. » Puis il s'est tu et moi aussi.

De sorte, chers amis, acheva Knud, que c'est mon tour de vous demander : qu'en pensez-vous ? Ai-je vu se mouvoir, ai-je entendu parler un léthargique ou un cadavre ? Il est tentant de se dire : l'amour est plus fort que la mort. N'est-ce pas ? Terriblement tentant. Néanmoins ce que, moi, je pense de ce que j'ai vu, ce que j'en pense maintenant et de sang-froid, je suppose que vous le devinez. Mais vous autres, chers amis ? Allons, dit-il, un peu de courage !

— Moi, commençai-je...

— Oh ! dit vivement Jens-le-Panaché, vous pouvez bien être sceptique, à mes yeux pas de question, ma conviction est faite. « Lève-toi et marche », ce ne serait pas le premier mort qui aurait obéi à cette injonction. Et il n'y aurait rien là pour me surprendre, après ce que j'ai vu moi-même à Egelskov.

— Au château ? demanda Gunnar Svor.

— Oui, au château, dit Jens.

— Racontez, dit Sophus.

Son gros derrière en frétillait d'avance.

Chapitre 3

— Moi, dit Jens, je suis un type dans le genre de Napoléon : je ne fume jamais la pipe. Et de Balzac : je bois beaucoup de café. Avec le café ce que j'aime à fumer, c'est le cigare ; et donc je fumais un havane en dégustant ma demi-tasse, chez moi, devant la cheminée, après un bon civet que m'avait mijoté ma fidèle Georgina, quand celle-ci est venue m'apporter un pli qu'un porteur venait de lui remettre. Si je me rappelle si bien ce moment-là — le cigare, le café, et Georgina ce pli à la main, dorée par le feu de bois — c'est que, brisant brutalement avec cette ambiance de confort douillet, la missive déclenchait la vision frissonnante d'une jouissance opposée : celle d'une chevauchée sauvage dans la froidure humide de l'automne, sur des terres où je souhaitais depuis longtemps être invité. Le billet me conviait à chasser le renard, le dimanche suivant à l'aube, dans les sombres bois d'Heilberg, lesquels dépendent, comme vous le savez, des domaines du baron Aasen, l'actuel propriétaire du château d'Egelskov.

— Où est-ce exactement ? demandai-je.

— Egelskov ? dit Jens avec une surprise un peu humiliante. Décidément, ceux qui connaissent le moins les richesses de Danemark, ce sont les Danois eux-mêmes. Vous n'êtes pas le premier à me demander cela. Sortis de Copenhague, vous ne connaissez plus rien. J'admets que d'aller en Fionie pose quelques problèmes, avec ce bras de mer à traverser. Mais vous êtes tous les mêmes : vous vous embarquez pour un oui, pour un non à destination de la Norvège, de l'Angleterre, de l'Islande même, quand ce n'est pas de l'Amérique, mais s'il s'agit de prendre le bac pour passer de Danemark en Danemark, c'est une trop longue expédition ! Vous êtes de ces gens qui n'hésitent pas à traverser l'Europe pour une visite à la chapelle Sixtine mais qui ne sont jamais allés à Elseneur, à quatre pas d'ici, parce que, dans l'attente qu'on achève le chemin de fer, vous ne voulez déjà plus prendre le coche. Le confort rend pressé et paresseux. Le jour où le premier ballon mû à la vapeur filera par les airs comme le vent, vous refuserez de prendre le train, vous le trouverez trop lent.

Bon. Eh bien, soupira-t-il, où se trouve Egelskov ? C'est au-dessus de Svendborg, dans les douces collines au sud de l'île. Si vous n'êtes jamais allé en Fionie au printemps, surtout au mois de juin quand fleurit le lilas, vous ne connaissez pas la joie de vivre. Le lilas y est si commun qu'il sert à border les routes, à clôturer les champs, de sorte que tout le pays, ainsi quadrillé de fleurs mauves, embaume leur parfum exquis. Et les moindres chaumières — car le chaume y règne encore partout, sur des murs bas et trapus et blanchis à la chaux — entourées toutes de mille fleurs en corbeilles, ressemblent à une bonbonnière nichée dans un bouquet. Pour ma part, il n'est pas de printemps que je ne prenne quelques jours de congé pour aller en Fionie faire provision de bonheur.

Parce que les gens ressemblent à leurs maisons. Ils ont l'âme fleurie comme leurs lilas. Les auberges y sont accueillantes mais, moi, je préfère loger chez l'habitant. Nombre de retraités louent des chambres, dans leurs petits cottages au bord de l'eau et, à la demi-saison, beaucoup de ces chambres sont libres. Si vous admirez leur jardin, souvent guère plus grand qu'un mouchoir, vous vous en faites aussitôt des amis. Ils sont aux petits soins, l'homme veille à vos affaires, à votre cheval si vous en avez un, la dame vous monte au lit le petit déjeuner.

Le seul inconvénient est qu'au printemps les averses sont fréquentes. Mais aussi l'herbe pousse-t-elle drue et verte, les fleurs s'épanouissent, glorieuses. Puis, entre deux averses, le soleil est royal. Moi, j'adore ce climat. Apprécierais-je autant celui d'automne ? C'est ce que je me demandais, au coin de mon feu, à Copenhague, n'ayant jamais connu la Fionie en octobre. Avouons-le tout de suite : il n'y a rien de commun. Les haies assombries sont sans parfum. Les seules fleurs qui subsistent avec les asters demi-deuil, sont des dahlias trop empruntés. Le ciel est souvent bas, la brise est froide. La joie colorée du printemps a-t-elle pour autant fait place à la grisaille, à la tristesse ? Je ne dirai pas cela : plutôt à la poésie d'une douce mélancolie. Je ne déteste pas cela non plus. Et puis c'est la saison qui convient le mieux à Egelskov.

Parce qu'au printemps, surgissant au détour des collines fleuries, éclatantes, Egelskov paraît sombre et sévère. La faute sans doute en est au matériau, tout entier fait de briques assez foncées...

— Comme les briques d'Hampton Court ? demanda Sven.

— Ha ! dit Jens, vous voyez ! Pour Hampton Court vous traversez les mers ; mais ce château tout près d'ici, qui n'a pas moins d'allure, vous le dédaignez parce qu'il est danois. Cela dit, non : les briques en sont moins noires. En plein soleil elles sont même assez rouges. Une grosse tour, de hauts murs à créneaux, des fenêtres étroites, le tout se reflètant dans le miroir d'un lac aux eaux dormantes, sur lesquelles on a jeté récemment une passerelle de fer, c'est un ensemble impressionnant. Même assez fantastique. Tenez, je viens de lire dans une revue américaine, d'un auteur encore peu connu par ici — j'oublie son nom — un conte dont le héros est un vieux burg sur un étang, un antique bâtiment lézardé, siège d'événements lugubres, et qui finit par s'écrouler dans son propre reflet. C'est romantique en diable, mais d'une langue admirable ; et, si l'un d'entre vous...

— La Chute de la maison Fischer, dit Throndsen qui se pique de lettres.

— *Usher*, rectifia Jens en souriant. Oui, c'est cela ! Eh bien, si vous l'avez lue, cette nouvelle, figurez-vous cette même maison Usher, mais en brique. Et sans lézardes. Voilà l'effet que, sous le ciel pesant d'octobre, Egelskov produit sur le visiteur : l'étrangeté, l'inquiétude, un mystère peut-être. Mystère d'abord, que ce caniche saugrenu, énorme et taillé dans le marbre, aux boucles stylisées, assis sur son piédestal comme un dieu égyptien et qui paraît garder — sinon défendre — l'accès du lac. On vous en dira la légende : c'est ce caniche qui, au cours d'une chasse, il y a trois cents ans, et voyant son maître, le seigneur d'Egelskov, sur le point d'être éventré par un vieux sanglier furieux, détourna sur lui-même la colère de la bête et n'en lâcha plus la gorge jusqu'à ce que les chasseurs eussent achevé l'animal. Mais il mourut de ses blessures. Le baron le fit immortaliser par un des meilleurs sculpteurs de Danemark et depuis lors son effigie préside à la perspective du parc considérable : grands jardins, immenses vergers, des vignes, un labyrinthe de buis géants où l'on se perd à en désespérer, sans parler des chênes séculaires, des sapins gigantesques, sur de vastes gazons dignes des pelouses anglaises.

Bon. Voilà donc le cadre. Maintenant, les

personnages. D'abord l'actuel propriétaire — enfin s'il l'est toujours, je vous parle d'il y a... combien ? huit ou dix ans — le très fameux baron Aasen, qui s'est fait si heureusement connaître dans l'élevage des chevaux : c'est lui qui a réalisé le premier croisement de barbe et de mecklembourgeois, dont les triomphes au steeple-chase ne se comptent plus et lui ont rapporté une fortune. A l'époque, il approchait de la cinquantaine, ses cheveux en brosse et sa moustache à la Viking s'argentaient sans s'éclaircir. Il avait le teint vif et basané des hommes de grand vent. Je l'aimais bien quoique le connaissant peu. J'avais dirigé l'installation dans ses haras, à quelque distance d'Egelskov, d'un vaste réseau d'eau sous pression, pour la toilette des chevaux. Il ne m'avait jamais encore convié dans son château, si j'avais plusieurs fois dîné chez lui, à Copenhague. Et c'est pourquoi cette brusque invitation à venir sur ses terres chasser le renard, m'avait immédiatement séduit.

Il y avait dans ce plaisir quelque chose de plus : Aasen avait deux filles plus jolies l'une que l'autre. L'aînée maintenant est mariée, et la cadette... mais je vous le dirai plus tard. La première me plaisait fort. Malheureusement elles étaient fiancées, déjà, toutes les deux. J'avais donc peu de chances — mais sait-on jamais ? D'autant que si le promis de la plus jeune était toujours présent, celui de ma préférée se trouvait à l'autre bout du monde, étant enseigne de vaisseau. Je n'avais donc pas le moindre scrupule, ne le connaissant pas, à tenter de marcher sur ses brisées.

Oh ! sans aucun succès, je m'empresse de vous le dire, pour ne pas engager sur une fausse piste votre imagination. Je vous en parle seulement pour justifier la double attirance qu'Egelskov exerçait sur moi.

La fiancée de l'enseigne s'appelait Sybilla, et Ingrid sa jeune sœur. Celle-ci me plaisait moins ou, plutôt, elle me paraissait si frêle, si fragile, que j'aurais eu peur de la casser. Je la laissais donc volontiers aux soins de son prétendant, un homme près de la trentaine dont j'enviais la prestance, le regard à la fois plein d'énergie et de douceur, l'élégance sans apprêt — soigné dans son vêtement mais sans souci de la mode — la race, en un mot. Son nom : Einar Tsömjing. Mais j'ai un peu anticipé : Einar n'était pas déjà le fiancé d'Ingrid. Il lui faisait une cour tendre et discrète, et personne ne doutait que la jeune fille y répondît, tout le monde les mariait, moi comme les autres ; mais le jeune homme ne s'était pas déclaré encore, officiellement. Toutefois, l'amour flottait sur eux de façon si sensible qu'on aurait pu le toucher du doigt.

Tsömjing, dans le civil, si j'ose m'exprimer ainsi, s'occupait d'une entreprise de travaux publics. J'ai dit « dans le civil » parce qu'il portait volontiers l'uniforme, encore que non militaire : habillé en piqueur, il aimait à sonner du cor en poursuivant le cerf. C'était un chasseur redoutable, un cavalier de premier ordre, ayant fait ses études en Autriche et ses classes d'équitation dans le fameux manège, vous savez, de l'École espagnole, à Vienne. Il fallait le voir s'amusant à faire faire à son cheval de vraies figures de cirque : se cabrer « en chandelle », esquisser un pas de polka, virevolter en mesure, et puis piquer des deux et alors, l'audace de cet homme dépassait celle de tous les chasseurs, faisant sauter à sa monture des hauteurs prodigieuses, toujours premier à rattraper la bête. Je vous dis tout cela comme si j'avais été moi-même un habitué de ces chasses, ce que je n'étais pas. Au vrai je ne vous en parlerais que par ouï-dire, sur la foi des descriptions lyriques que m'en faisaient ses admirateurs et surtout ses admiratrices, si je n'avais pu, une fois au moins — mais une fois très étrange — comme suite de l'invitation inattendue dont je vous ai parlé, en vérifier personnellement l'exactitude.

Mais, ce Tsömjing, à vrai dire, je le connaissais surtout — nous avions fait connaissance chez Aasen et nous avions sympathisé — en tant que conducteur de travaux. Nous nous estimions l'un l'autre dans notre métier, lui respectant en moi l'ingénieur diplômé, moi honorant en lui le self-made-man dont l'entreprise était devenue, en quelques années, l'une des toutes premières en Danemark. Et cela, grâce à son caractère : montrant dans ses affaires la même audace que sur son cheval. Et tel il donnait de sa personne en courant la bête, déguisé en piqueur et sonnant du cor, tel il participait de ses bras aux travaux les plus hasardeux, quand ils soulevaient quelque péril. Dans les deux cas, il apparaissait comme une force de la nature. Il y avait, en cet homme, une surabondance de vie. Je ne l'ai jamais vu se reposer, je me rappelle un rendez-vous où je devais le rejoindre à son bureau, établi dans un baraquement, sur le chantier même du futur hôpital qu'il construisait sur l'emplacement d'une ancienne papeterie, près d'Odense. Arrivé cinq minutes avant l'heure, je ne l'y trouvai pas. On me dit, d'un drôle d'air, d'aller voir aux échafaudages. Il soufflait, ce jour-là, un vent extrêmement violent. Sur les échafaudages il n'y avait personne, Tsömjing, crainte d'accident, ayant fait descendre tout son monde. Mais, lui, il y était monté, sur cette construction branlante, pour en tâter les baliveaux, en resserrer les joints ici et là afin, sans aucune aide, d'en vérifier et assurer la solidité et de permettre au plus tôt la reprise des travaux en toute sécurité. Et moi, de le voir tout là-haut sur ce plancher volant qu'à chaque instant la tempête menaçait d'emporter, le vertige m'avait saisi, comme le cœur vous manque à surprendre un enfant au bord du vide. Les maçons eux-mêmes, sur la terre ferme, n'étaient guère moins impressionnés, à regarder ce funambule grimper sur des tréteaux où aucun d'eux n'eût osé se risquer par un tel temps. Puis, à l'heure exacte de notre rendez-vous, il s'était laissé glisser, comme un acrobate, le long d'une corde, et il était venu vers moi le visage hilare, avec un rire à peine rentré, comme s'il venait de nous faire à tous une bonne farce. Et il y avait de cela en vérité — il y avait du jeu, dans ce besoin de s'exposer, peut-être même un brin de cabotinage. Insouciance aussi, inconscience de la mort ? Non, je crois que le danger couru étant la seule mesure authentique de son habileté, c'était son vrai bonheur que de le défier !

Ayant compris, ce jour-là, cette espèce d'attirance du péril, j'en éprouvai quelque souci. Pour lui-même bien sûr, mais aussi pour Ingrid. Je vous ai dit combien elle paraissait frêle. Auprès de la puissance physique et mentale du jeune constructeur, cette fragilité faisait un contraste étrange, et j'en étais préoccupé. Mais peut-être était-ce justement cette opposition de nature qui les attachait l'un à l'autre ? La force éprouve de la tendresse pour cette faiblesse et la faiblesse admire cette force, savoure de s'en remettre à elle en toute confiance. Lorsque, sur son cheval, Einar se livrait à des exercices qui, pour tout autre que lui, eussent comporté le risque de se casser le cou, Ingrid, assise, toute mince dans sa jupe noire, en amazone sur sa jument, le regardait avec des yeux d'enfant, souriante, admirative et détendue — ne semblant pas un instant songer que ces folles acrobaties pourraient se terminer mal. Ce calme était trompeur. La jeune fille, au contraire, la suite me l'a montré, était parfaitement consciente de l'enjeu. Mais elle aimait Einar sans égoïsme, elle l'aimait pour lui-même et savait que la joie de vivre, chez ce garçon, s'identifiait avec cette témérité. Pour rien au monde elle n'eût laissé percer, en sa présence, l'ombre d'une inquiétude. En sa présence : car ce jour-là — ce dimanche-là de chasse au renard — tandis qu'Einar tardait et que nous l'attendions, visiblement cette attente l'éprouvait et, le retard s'accentuant, nous avions dû intervenir pour la distraire, pour l'occuper, la détourner d'envisager le pire. Qui de nous n'a pas connu de ces craintes excessives ? Un écolier qui tarde, il s'est fait écraser par une voiture ; une grand-mère, c'est une attaque d'apoplexie ; un mari, c'est qu'il me trompe avec cette grue. Nous sommes tous si conscients de la condition humaine, de la menace toujours proche du malheur, que la moindre anicroche déclenche l'imagination — et la superstition : si je ne m'inquiète pas, le malheur va se venger, il sera là ; seul rempart contre lui : ma terreur proclamée qu'il ait déjà frappé. Cette sorte d'angoisse incantatoire, Ingrid la pratiquait comme tout le monde, il n'y avait à cela rien de singulier. Mais sa douce faiblesse ayant trouvé la force, devant Einar, de si bien dissimuler ses craintes qu'elle nous avait illusionnés nous-mêmes, nous étions surpris et attendris de voir pâlir encore d'anxiété sa peau déjà transparente.

J'étais arrivé à Egelskov la veille au soir, par le coche de six heures. Il faisait presque nuit déjà, les hauts murs du château élevaient, sur l'eau noire, leur masse silencieuse, plus noire encore autour de deux ou trois des étroites fenêtres doucement éclairées aux chandelles — le baron détestant le pétrole, et le gaz n'étant encore, à Egelskov, qu'une lointaine espérance. J'avais failli me heurter au caniche géant dont la présence inattendue, brusquement révélée sous la pâle luminescence d'une lune mouillée de brume, inquiétait par son étrangeté de marbre ; mes pas avaient résonné sur la passerelle de fer, l'écho s'en répercutant avec une vibration lugubre sur l'eau et sur les murailles ; enfin, un domestique m'avait introduit dans une pièce assez vaste, entourée de tapisseries, où les autres invités se trouvaient déjà : silhouettes aux visages imprécis dans cette lumière tremblante qui donnait aux traits les plus rustiques on ne savait quelle touche de mystère, de spiritualité. Je dus être présenté à la plupart d'entre eux, ne les connaissant pas ; ce dont se chargea l'aînée des deux jeunes filles, ma belle Sybilla, avec tant de gentillesse à mon égard qu'aussitôt j'en nourris toutes sortes d'illusions. Ingrid, sa sœur, me souriait de loin — d'un sourire où flottait, comme toujours, une ombre de tristesse, ce qui pouvait s'expliquer ce soir-là par l'absence de son amoureux. Comme, étant son voisin à dîner, je demandais à la jeune fille la cause de cette absence, elle dit qu'il avait des ennuis avec son hôpital : un messager, dans l'après-midi, était venu d'Odense lui signaler une fissure dans un des pignons, ce qui pouvait faire craindre un glissement de terrain. Il avait dû repartir afin d'organiser d'urgence les remèdes nécessaires à cette situation. Mais il comptait revenir, sinon dans la soirée — Odense étant assez loin d'Egelskov — peut-etre au cours de la nuit, en tout cas le lendemain matin avant le départ de la chasse.

Vous nous avez décrit tout à l'heure, Knud, un amour plus fort que la mort, un amour si violent qu'il en avait bouleversé, peut-être, les lois de la nature. Si les amours d'Einar et d'Ingrid semblaient à l'opposé, ils n'en étaient pas d'une intensité moins vive. Simplement, cette suprême violence y était remplacée par une suprême douceur, une suprême tendresse. Si impétueux que fussent, chez le jeune homme, sa joie de vivre et son besoin d'action, il y mettait en présence d'Ingrid une sourdine pleine d'attention patiente, caressante, prévenant ses moindres désirs et délaissant toutes choses pour les satisfaire. C'était Hercule aux pieds d'Omphale, et la sœur d'Ingrid, Sybilla, que j'avais rejointe après dîner dans l'espoir de marivauder un peu, raillait avec gentillesse ce colosse apprivoisé : « Vous auriez dû le voir, disait-elle en riant ; voir son pauvre visage quand il lui a fallu regagner son chantier. Il est vrai — Ingrid ne s'en doute pas — qu'il n'est pas absolument sûr de pouvoir revenir à temps ; mais ce qui l'afflige, ce n'est pas tellement de manquer la chasse, c'est de manquer au plaisir prodigieux qu'Ingrid s'en est promis.

— De cette chasse en particulier ?

— Oui. Ou disons plutôt, si vous voulez, de cette chasse inaugurale. Car c'est la première fois que mon père, voyez-vous, permet à Ingrid de mener une chasse. Moi, il y a deux ans que j'ai la permission. D'abord je suis l'aînée. Et puis je suis plus forte. Alors je fais partie de ceux qui sont en tête. Je galope avec les piqueurs, juste derrière les chiens. Mais vous avez vous-même déjà chassé à courre ?

— Oui, quelquefois.

— Alors vous n'ignorez pas que, pour tracer le chemin à travers les futaies, il ne faut manquer ni de vigueur ni de résistance ; faute, si la fatigue vous prend, de perdre vos réflexes et de risquer la mauvaise chute, ou de manquer l'obstacle, ou de heurter une branche basse. Ingrid n'a jamais, jusqu'ici, fait que suivre, loin derrière ; aussi se réjouit-elle follement de cette première. Mais si par malheur Einar ne peut pas venir, père ne la laissera pas aller. Il compte entièrement sur Einar, sur son habileté et son expérience, pour garantir Ingrid des embûches de la poursuite sur un terrain difficile, comme vous le verrez vous-même.

Ainsi prévenu, je me trompai d'abord sur l'impatience d'Ingrid. Quand, la soirée puis la nuit s'étant passées sans que Tsömjing fût revenu ; quand ensuite, au matin, nous l'eûmes attendu en vain au petit déjeuner, j'attribuai la nervosité croissante de la jeune fille à cette crainte de se voir interdire de mener la chasse, si ce n'est même de la suivre. Et sans doute ce n'était pas faux, il y avait de cette inquiétude-là dans sa nervosité ; et à mesure que l'heure approchait où les piqueurs rassembleraient les chiens, Ingrid avouait avec un humour d'adulte le chagrin enfantin qu'elle s'apprêtait à éprouver, si son mentor n'arrivait pas. Mais c'était un humour forcé ; et il était visible que, toute grande fille qu'elle fût, elle se consolerait mal de cette déception. Au point que, sachant de quels soins attentifs Einar Tsömjing entourait les moindres joies d'Ingrid, son absence me troublait : certes, je comprenais que ses devoirs de constructeur l'eussent retenu un temps à Odense, fût-ce un dimanche, mais qu'il n'eût pas ensuite confié le chantier à un adjoint ni trouvé le moyen de revenir pour consacrer une heure ou deux à cette « première » qui dépendait de sa présence et surtout dont Ingrid s'était tellement réjouie (et nous tous avec elle, en vérité), voilà qui m'étonnait. Et bientôt je m'aperçus que la jeune fille s'inquiétait comme moi. Et que, le temps passant, bientôt elle s'angoissait. « Je n'aime pas ce chantier, nous confia-t-elle soudain. C'est un sol capricieux. Savez-vous pourquoi la papeterie a cessé ses activités ? Pour aller les poursuivre ailleurs. Parce que le pourrissoir, vous savez cette espèce de grande cuve, a glissé sans qu'on comprenne comment, trois ouvriers ont été tués. On va reconstruire un peu plus loin. Pourquoi, dans ces conditions, avoir choisi ce terrain-là pour y construire cet hôpital ? C'est vrai que c'est un bel emplacement, dans un beau parc, et dominant la ville. Et l'on a pris toutes les précautions : jusqu'à des fondations sur pilotis. N'empêche, vous voyez, le terrain a glissé quand même. Cela m'effraie. » Un peu plus tard elle a commencé à marcher de long en large. Nous faisions de notre mieux pour la rassurer, nous efforçant d'ironiser pour lui montrer combien nous avions, nous, l'esprit tranquille. Mais le fait est qu'à mesure que le retard se faisait moins explicable, l'inquiétude nous prenait, nous aussi. Je me rappelais Einar sur son terrible échafaudage et y faisant, dans la tempête, quasiment du trapèze volant ; je l'imaginais prenant tout seul, dans une construction menacée d'écroulement, des risques excessifs que personne ne lui demandait ; ou encore, trop pressé de revenir, excitant jusqu'à s'emballer les chevaux de sa voiture et celle-ci versant dans le fossé. S'il n'était pas arrivé dans une heure, je me proposais de seller un cheval et de pousser une reconnaissance. Je n'étais pas le seul à prendre intérieurement de telles dispositions, sans rien en dire à Ingrid, bien entendu. Nous pensions tous qu'en l'absence de son animateur, le baron décommanderait la chasse ; aussi trouvais-je de moins en moins concevable, si aucun accident n'en empêchait Tsömjing, qu'il pût ainsi nous faire faux bond à tous. Et j'étais tourmenté.

Le temps passait. Quand paraîtrait, par-dessus le chaume des communs, le froid soleil d'octobre cramoisi dans la brume, les piqueurs rassembleraient la meute. Les chiens d'ailleurs avaient pressenti que leur heure était venue, ils s'agitaient dans les chenils et nous les entendions aboyer. Nous plaisantions, non sans effort, Ingrid nous écoutait avec un sourire pâle. Faisant semblant, plutôt, de nous écouter. Alors, nous affections de redoubler d'esprit. Mais elle ne pouvait s'empêcher de pétrir dans ses mains un mouchoir de dentelle. Et tout à coup — je racontais je ne sais plus quelle bonne histoire — nous l'avons vue se dresser, la bouche entrouverte et les yeux dilatés, comme sur une vision d'horreur. Nous nous sommes retournés et là, un peu sur le côté de la plus grande des tapisseries, un visage lumineux nous regardait. Une face longue et pâle, aux yeux aveugles, et dont semblait émaner une lumière phosphorescente. Les traits s'en distinguaient mal mais, sur la verdure fanée de la vieille tenture, il se détachait de façon surprenante, comme une tête décapitée — le masque de Banquo suspendu devant Macbeth. Et alors, avec une lenteur terrible, du sang venu du front coula le long des tempes, et puis des joues, et enfin se perdit dans l'ombre de l'encolure...

Nous restions pétrifiés, cette vision, si courte qu'elle fût, nous paraissant interminable. Ensuite tout disparut. Et certes, je compris très vite la nature du prodige : le soleil, se levant entre deux nuages et projetant son rayon rutilant à travers une des vitres bombées, avait illuminé fugitivement le visage terni d'un des personnages du canevas, le détournant et l'isolant des autres et l'inondant de cette lumière sanglante. Mais je n'en étais pas moins frappé encore de saisissement. Personne ne disait mot. Je me dirigeai vers Ingrid. Elle n'était plus seulement pâle, elle était verte. Et, bien sûr, je sus, nous sûmes tous à la fois quelle pensée funèbre, horrible, l'avait traversée. Elle se prit les joues à deux mains et sa bouche s'ouvrit toute grande et nous attendions, consternés, le cri qu'elle allait pousser ; nous allions nous précipiter — mais ce que nous entendîmes ce fut : « Ha ! ha ! je ne suis pas en retard ? J'arrive à l'heure, à ce que je vois ! » Et Ingrid, et nous tous, nous nous sommes retournés et c'était lui, c'était

Einar, déjà en costume de piqueur, mais une tunique un peu froissée, humide, il avait dû la revêtir là-bas, à Odense, avant de se mettre en chemin et les averses n'avaient sûrement pas manqué en route.

Ingrid s'était précipitée vers lui mais, tout souriant, il l'arrêta d'un geste : « Non, non ! je suis tout crotté, vous voyez bien ! » et c'était vrai, des traces de boue se voyaient sur ses genoux, ses coudes, surtout ses bottes. « Pas eu le temps de me brosser », dit-il en riant et sans plus attendre, il frappa d'un coup énergique son talon de sa cravache. « C'est l'heure, les chiens sont prêts ! » dit-il, et dans la cour effectivement les aboiements se firent en un instant explosifs et assourdissants. Nous nous précipitâmes tous dehors, joyeusement : quel soulagement que cette arrivée ! Ingrid, trottant auprès d'Einar, ne le quittait pas des yeux, toute rose de bonheur. J'étais à quelques pas derrière eux et je remarquai bien, sous la casquette de piqueur, que les cheveux d'Einar étaient un peu collés, poisseux ; mais comme la tunique aussi était maculée, par endroits, de pluie et de boue, je ne m'en souciai pas. Les chevaux nous attendaient, bouchonnés et sellés. Ne connaissant pas trop mon expérience de cavalier, mon ami le baron m'avait fait réserver une bête obéissante, avec laquelle effectivement, tout au long de la course, je n'eus aucun mal. Einar, lui, bien entendu, montait un pur-sang nerveux, aux gros yeux noirs d'aspect toujours effrayé, au long profil anguleux et fin. Les sabots ne tenaient pas en place. Je vis que le cavalier tirait sec sur les rênes, comme s'il eût craint que l'animal ne prît le mors aux dents. J'en fus surpris car ce n'était pas là geste de fin écuyer — puis je compris qu'il y avait autre chose : la bête n'était pas seulement nerveuse, elle avait peur. Elle frémissait de tout son cuir, d'une peur incœrcible et, si peu Einar aurait-il rendu la main que le cheval eût détalé au triple galop. Je n'eus pas trop le temps de m'interroger car j'eus bientôt l'explication : le jeune homme s'amusait déjà à commander à sa monture ses tours les plus amusants mais aussi les plus rudes, et l'animal, merveilleusement sensible, avait tout de suite perçu ou reconnu la force de cette poigne : il savait qu'il allait être lancé, par une volonté inflexible, sur les obstacles les plus périlleux. Et moi aussi je frissonnai un peu — puisqu'il me faudrait les suivre ! Je ne suis pas trop empoté à cheval, mais n'empêche : l'idée qu'il me faudrait maintenir la même allure, foncer dans le sillage de cet intrépide et franchir à sa suite les mêmes péripéties, cela ne me rassurait pas tellement ! Toutefois, et tout en même temps, je me réjouissais et d'être de la fête et de voir enfin à l'œuvre ce fameux cavalier. Nos chevaux piaffaient, les chiens tremblaient d'impatience. Je regardai mes compagnons, ils s'interpellaient mutuellement avec une excitation joyeuse, je les sentais dissimuler la même appréhension que moi : à quelles acrobaties ce diable d'homme n'allait-il pas nous entraîner ? Quand même le plaisir l'emportait ; et je ne comprenais plus l'inquiétude que nous avions eue,

tant il était inimaginable qu'Einar eût pu se résoudre
à nous en priver. Ingrid, sur sa jument pommelée,
souriait, comme toujours ; mais j'étais rien moins
que sûr que ce sourire ne cachât point, lui aussi, un
peu de trac : l'épreuve serait rude, s'en montrerait-
elle digne ? Ni elle, ni nous, ni moi n'eûmes
heureusement le loisir de trembler longtemps : déjà
Einar sonnait du cor, et les autres piqueurs lui
répondirent, et les chiens s'élancèrent, et les chevaux
les suivirent en désordre, au pas d'abord, puis au trot
quand nous fûmes sur la route — et je vis notre hôte le
baron se raviser, tourner bride et remonter sans hâte
le peloton. En me croisant il lança en souriant : « Je
vous rattrape. J'ai oublié ma... » mais je ne saisis pas
la suite.

Nous pénétrâmes dans les bois d'Heilberg, les
chevaux se mirent en ordre, Einar et Ingrid en tête,
derrière les chiens. Vous savez comment sont ces
débuts de chasse. Rien d'abord, les chiens quêtent en
maraude, on suit, on va, on vient, on perd un peu
patience, décidément le temps passe et cette chasse est
loupée — et puis jaillissent les premiers jappements :
la meute a flairé le renard. En un instant c'est la
clameur ininterrompue des chiens à la poursuite. Les
chevaux prennent le galop et c'est la joie.

Et moi, eh bien... je me trouvais déchiré par deux
aspirations contradictoires : celle d'être avec Sybilla,
de rester botte à botte avec elle afin de poursuivre une
cour dont, coquette, elle s'amusait trop pour me
l'interdire ; et celle de rester au plus près de Tsömjing

et de son cheval pour ne pas perdre une miette du spectacle. Je tentai, du reste, de concilier les deux en pressant Sybilla d'accélérer l'allure ; mais elle était une sœur trop aimante et loyale pour risquer de gâcher à Ingrid, en la rejoignant en tête, l'unique et éphémère plaisir, l'unique et éphémère fierté d'être, pour la première fois, seule à mener la chasse, avec Einar. Elle me retint et j'en fus contrarié. Mais comme, au fond, je lui faisais la cour bien plus par principe que par inclination, — j'étais en ce temps-là porté à me croire amoureux de toute personne du sexe qui ne fût pas hideuse — je profitai sans vergogne de ce qu'un autre commensal s'approchait d'elle pour jouer la discrétion et m'éloigner, en homme de tact. Piquant alors des deux, je remontai le peloton. Il allait vite, menant un galop endiablé dans le bois encore peu touffu, et les chevaux restant frais en ce début de poursuite. Une joie saine et revigorante régnait dans la fraîcheur d'un air matinal si pur qu'il me semblait respirer un nectar délicieux. Penser que, par la faute de ce maudit hôpital, nous aurions pu en être encore à nous morfondre, pour toute la journée, entre les quatre murs d'une verdure de laine, au lieu de galoper dans l'air transparent, sur un épais et odorant tapis de feuilles d'automne ! Quelle suave musique que le sourd crépitement de tous ces sabots sur le sol élastique, que le doux rataplan de leur roulement de tambour ! Mon cheval avait dû être merveilleusement dressé, car il s'élançait de lui-même sur les obstacles et semblait prendre à les franchir autant de plaisir que moi. Fossés, talus, buissons, troncs abattus passaient sous mes bottes comme en rêve. En tête, les chiens hurlaient. Et derrière eux les deux jeunes gens, Ingrid et Einar Tsömjing, fonçaient tellement légers et aériens qu'ils semblaient ne faire qu'un avec leur monture. Et si j'admirais l'élégance et la virtuosité d'Einar, j'appréciais plus encore sa délicatesse : car s'il s'arrangeait à paraître chevaucher à la hauteur d'Ingrid, étrier contre étrier ; si presque il se donnait l'air de lui obéir et de la suivre, en réalité son cheval précédait d'une demi-tête celui de la jeune fille et, sous la poigne irrésistible, irréprochable d'Einar, c'était lui qui dirigeait leur galop au milieu des embûches, évitant les plus périlleux. Quelle ivresse de les suivre ! Derrière tant de perfection, il semblait qu'on n'eût plus même besoin de guider sa monture, qu'on eût pu se laisser emporter par elle, les yeux clos, presque en dormant, dans cette course ailée...

« Mais quand, après de longs, longs moments de cet enchantement équestre, le hurlement des chiens en vint à se faire plus aigu, impatient — signe que la course approchait de son terme et que le renard, à bout de forces, se laissait rejoindre — je ne jugeai pas séant de rester en tête. Retenant mon cheval pour me mêler au reste du peloton, je me retrouvai chevauchant entre Sybilla et son père, lequel nous avait rattrapés. A ma surprise, le baron me parut soucieux. Plissant le front, mordillant sa moustache de Viking, il s'abandonnait visiblement à son cheval, regardant devant lui avec une sorte de distraction pensive. Intrigué par cette attitude, qui contrastait si fort avec l'ambiance joyeuse régnant parmi les cavaliers, je lui demandai en riant ce qui le rendait si morose. Il me jeta un coup d'œil et ne répondit pas d'abord. Puis, sans élever la voix — à cause de Sybilla ? — ou comme se parlant à lui-même, je l'entendis prononcer (mais je dus tendre l'oreille) : « Je me demande bien comment Einar est venu d'Odense. Je n'ai trouvé dans l'écurie ni ses chevaux ni son cabriolet ». Je n'eus guère le temps de m'étonner de cet étrange souci — car que ce fût cheval de selle, chaise de poste ou voiture de louage, il y avait eu pour Einar bien des façons de nous rejoindre, et déjà les cors sonnaient l'hallali et, le renard une fois forcé, la poursuite prit fin.

Si l'animal est triste après l'amour, l'homme l'est aussi après la chasse. L'excitation de la course a épuisé les nerfs. Dans la clairière où maintenant, la meute achevait sa curée, et tandis que les cors sonnaient la graille, nous piétinions, sur nos chevaux, avec incertitude. Désœuvrés et sans but, une certaine gêne s'emparait de nous. Tout cet arroi pour livrer à des chiens cette malheureuse bête ! Le côté primitif et cruel de toute chasse à courre, que nous nous étions caché avant et pendant la chasse, nous apparaissait à présent trop vivement pour que nous ne fussions pas un peu désorientés. Mais cela ne durerait pas, je le savais. La gaieté reviendrait avec le retour, quand chacun se vanterait de ses exploits équestres. C'est ce qui se produisit effectivement, tandis que je m'arrangeais, pendant ce retour, à me retrouver botte à botte avec la trop jolie et coquette Sybilla. Nous rentrions, toute la troupe, dans une aimable pagaille, comme souvent après une chasse ; des couples de cavaliers et d'amazones, se formant sous l'impulsion de l'euphorie et de l'occasion, s'écartaient par des layons sous les ombrages de la forêt. J'aurais bien voulu en faire autant en compagnie de Sybilla mais, sans décourager ma cour, elle savait à merveille ne pas aller trop loin. Lorsque je m'aventurai, en paroles, dans l'audace, elle laissa tomber un silence qui coupa court à l'éloquence. De sorte que, cherchant que dire pour le briser, je hasardai : « Ingrid a été superbe. Quelle cavalière ! »

— Oui, dit-elle.

— Quant à Einar... commençai-je — tiens ? où est-il passé ? »

Ingrid chevauchait en effet, à quelque distance, auprès d'un homme aux cheveux gris, un peu corpulent. Sybilla soupira et dit : « Pauvre petite. Einar n'a pas dû pouvoir attendre pour rejoindre sa construction. Sans doute s'est-il esquivé à l'anglaise. Comme c'est touchant, n'est-ce pas ? Il n'est venu ce matin que pour cette chasse, pour ne priver personne de cette joie. Surtout n'en pas priver ma sœur. » C'était bien là, pensai-je, une action digne de lui : travailler toute la nuit sur le chantier afin de pouvoir le quitter à l'aube, foncer à bride abattue pour arriver à temps, pour permettre à Ingrid de mener la chasse, mener celle-ci avec elle et jouir de son plaisir, puis aussitôt repartir à bride abattue rejoindre sur le terrain son devoir professionnel. Combien je lui enviais cette énergie inépuisable, cette surabondance d'élan vital ! Tandis que moi, pieds alourdis, cuisses douloureuses et dos courbatu de seulement avoir chevauché derrière lui ces quelques heures, je ne pensais, en rentrant au château, qu'à courir m'allonger sur mon lit, dans la chambre qui m'était réservée, je l'imaginais, lui, sur son échafaudage, aussi frais et dispos que si, après avoir dormi toute la nuit, il avait de surcroît fait la grasse matinée.

Je m'étais donc allongé, ayant quitté bottes et tunique, sachant qu'avant de se mettre à table l'animation désordonnée des invités et la difficulté de les rameuter me laisseraient une bonne heure de repos. Mais à peine étais-je étendu qu'on frappa à ma porte. C'était Aasen, notre châtelain. Il me parut singulièrement pâle et nerveux.

« Excusez-moi, dit-il. Je vous ai vu monter. Pourriez-vous me rendre un très grand service ?

— Bien entendu ! Qu'est-ce qui se passe ?

— Une erreur, sans aucun doute. Toutefois... » Il plissa brusquement le nez, comme si soudainement il s'interrogeait sur sa démarche, la regrettait peut-être. Il tenait dans sa main un papier bleu qu'il triturait entre ses doigts, avec une sorte d'impatience. Enfin il dit :

« Je ne voudrais pas... que transpire... Et c'est pourquoi, pardonnez-moi, j'ai pensé à vous. Est-ce que... vous pourriez... et sans perdre une minute... prendre le tilbury avec le cocher et filer dare-dare sur Odense ? »

Sans déjeuner ? pensai-je. Il n'y allait pas de main morte ! Mais je le voyais si contracté et blême que je n'en pus douter : il se passait quelque chose de grave.

« Quand vous voudrez, lui dis-je. Qu'est-il arrivé ?

— On m'a remis ce message. D'Odense, par télégraphe optique, dit-il en me montrant le papier bleu. Arrivé là pendant la chasse. Il annonce... il prétend... » Son menton, sa mâchoire, tout trembla subitement comme d'un brusque grelottement de froid. Il put enfin articuler : « ... qu'Einar Tsömjing est mort.

— Quoi ? m'écriai-je. Où ? Quand ? Comment ?

— Justement, dit-il : *Hier soir*. Au chantier. Un accident.

— Hier soir ? Je faillis éclater de rire ; mais sa pâleur mortelle m'en empêcha. Subitement il se jeta vers moi et me saisit le bras avec une violence suppliante :

— Vous l'avez vu, n'est-ce pas, ce matin, mener la chasse ? dit-il d'un ton précipité. Moi je l'ai mal suivi, j'étais derrière ; mais vous, vous l'avez vu ?

— Comme je vous vois, dis-je avec calme, pour le calmer lui-même. C'est une erreur stupide !

— Je me demande, dit-il étrangement. Je ne sais pas comment il a pu venir ce matin d'Odense. »

Je me rappelai sa remarque : ni cheval, ni voiture.

« Mais... qu'est-ce que vous croyez ? m'écriai-je abasourdi.

— Je ne sais pas. En tout cas, rendez-moi ce service : filez là-bas. Et voyez-le. Vivant, j'espère ! Et envoyez-moi tout de suite un télégramme. Avant qu'Ingrid n'ait eu le temps d'être avertie, ou de s'inquiéter. Vous voulez bien ?

— Tout de suite. J'y vais. Mais c'est stupide. La voiture est, en bas ?

— Elle vous attend. Prenez le petit escalier et sortez par derrière, qu'Ingrid ne vous voie pas.

— Allons, rassurez-vous ! Einar nous a quittés il n'y a pas une heure. Toute cette histoire est complètement absurde.

— Espérons-le, dit-il. »

Une minute plus tard j'étais dans le tilbury, auquel un jeune cocher avait attelé deux chevaux. Aussi filâmes-nous comme le vent. J'étais furieux, un peu d'être privé de déjeuner, et comment croire, pour un seul moment... Et puis, des choses me revenaient. Des étrangetés que j'avais remarquées. Einar tenant Ingrid à distance : « Je suis crotté » ; ses cheveux collés sous la coiffure, comme si le crâne avait saigné ; et ce cheval tremblant d'effroi. Mais de là à penser... Absurde. Absurde. Pourtant, à mesure que nous approchions, je perdais de ma belle assurance. Une sourde angoisse me prenait aux tripes. Et quand nous parvînmes au chantier où Einar construisait le nouvel hôpital, je n'étais guère moins nerveux que le père d'Ingrid. Je sautai de voiture et me précipitai.

Il n'y avait personne sur le chantier. Sauf un gardien, en train de chauffer sa gamelle. Derrière lui, je vis tout de suite qu'un mur s'était écroulé.

Et mon cœur se vida.

« Où est monsieur Tsömjing ? demandai-je au gardien d'une voix si blanche que je ne la reconnus pas moi-même.

— Au vieil hôpital, dit-il. Et il secoua la tête d'un air navré. Je balbutiai :

— Quand est-ce arrivé ?

— Hier soir à dix heures. On a mis plus de quatre heures à le dégager.

— Il était mort ?

— Non, pas encore. Mais salement abîmé. »

Un hôpital, vous savez ce que c'est, l'accueil qu'on peut y recevoir un dimanche. Néanmoins mon émotion, mon impatience et bientôt ma colère finirent pas secouer l'apathie du maigre personnel de garde. On eut même la bonne grâce d'aller chercher l'interne. Par chance, c'était un garçon charmant, plein de bonne volonté. Qui, de surcroît, avait connu Einar, du temps qu'ils fréquentaient, tout jeunes, le même manège. « Oui, il est là, me dit-il, ajoutant combien cette mort l'éprouvait lui aussi. On nous l'a apporté cette nuit à deux heures. Dans un état désespéré. Vous voulez le voir ? »

J'acquiesçai ; ou plutôt mes lèvres acquiescèrent ; car ma pauvre cervelle ne savait plus où elle en était.

Il me fit descendre à la morgue. Le corps d'Einar gisait là, nu, couvert d'un drap. L'interne découvrit la tête. Elle portait un bandage un peu ensanglanté. La tunique de piqueur et les culottes, souillées de boue et de poussière, pendaient à une patère, les bottes crottées sous elles.

« Quand est-il mort ? soufflai-je.

— Ce matin à huit heures. »

L'heure à laquelle nous l'attendions, à Egelskov ; à laquelle était apparue, sanglante, sur la tenture, cette face fantomatique... l'heure à laquelle les chiens sortaient du chenil... et à laquelle Einar était apparu en riant : « Je ne suis pas en retard ? »

« Comment est-ce arrivé ? demandai-je. On vous l'a dit ?

— Glissement de terrain. Tout le pan de mur s'est écroulé sur lui. Aussi, quelle imprudence ! Il n'avait autorisé personne à monter au pignon, mais il fallait, disait-il, poser les témoins sur la fente. Il y est monté, tout seul, à la lumière des torches, avec l'auge et la truelle — dans ce costume-là (il me montrait la tunique, les bottes) parce que, m'a expliqué le contremaître, il voulait partir aussitôt après afin d'arriver à l'heure. A une chasse au renard, paraît-il. C'est au moment où il allait redescendre que le mur a lâché. Ils sont tombés ensemble, le mur et lui. Une pierre d'angle lui a cassé la tête. Fracture du crâne. Il n'a pas dû souffrir. Je ne crois pas qu'on souffre dans le coma. J'ai su dès le début qu'il n'y aurait rien à faire : il y avait un peu de cervelle dans les cheveux. Il a respiré plus longtemps que je ne l'aurais cru possible. On aurait dit qu'il voulait tenir jusqu'au lever du jour. »

Et voilà mon histoire, chers amis, conclut Jens. Pensez-en ce que vous voulez. Est-ce moi, est-ce nous qui avons été, trois heures durant, l'objet d'une hallucination collective ? Vous savez ce qu'on dit : que la fameuse corde des fakirs hindous ne tient nullement toute seule en l'air, que c'est seulement ce que croit voir toute une foule suggestionnée. Avons-nous été, nous aussi, unanimement victimes d'un phénomène psychique de même nature ? Ou bien... ou bien... Einar a-t-il éprouvé pour Ingrid, comme pour Saar votre Krüdner, un amour plus fort que la mort ? Au point de faire participer à cette chasse, si ardemment souhaitée par la jeune fille, son fantôme, son âme, son double, sa projection ou quel que soit le nom qu'on lui donne ! Je sais ce qu'en doit penser Knud, et probablement a-t-il raison. Mais moi, mais moi, j'avoue... quand je le revois, là... sur son cheval épouvanté... caracolant comme un demi-dieu auprès d'Ingrid merveilleusement heureuse... eh bien, je me demande...

Il eut, sans poursuivre davantage, un geste des mains et une expression du visage qui en dirent aussi long qu'un discours. Nous nous taisions, impressionnés. Knud, seul d'entre nous, arborait un sourire à lui donner des gifles. Car nous savions ce qu'il pensait, étant le plus raisonnable, et nous n'avions pas envie, non, pas envie du tout de penser comme lui. Trop romanesque, peut-être. Mais, c'est bien vrai, nous souhaitions — de toute notre âme — que cette dernière et ineffable joie d'Ingrid, elle l'ait due elle aussi à l'amour, un amour plus fort que la mort. Nous le souhaitions, non par peur de la mort : par amour de l'amour.

Et comme si c'eût été une réponse à nos pensées, nous entendîmes le petit Niels-aux-yeux-bleus dire de sa voix timide : « D'ailleurs... moi... »

Et c'était justement ce que nous espérions : que l'un de nous, par le récit d'une expérience équivalente, nous confirmât dans cette croyance. Un soupir d'aise lui répondit, et le silence se fit, et d'un sourire Niels nous remercia, et sa voix de fillette trembla dans l'air avec cette douceur qu'elle avait, si chaude et caressante qu'elle captiva notre attention avant d'avoir prononcé trois mots.

Chapitre 4

— Moi, dit le petit Niels, ce que je voudrais savoir d'abord, c'est ce que cette jeune fille, Ingrid, est devenue. Quand a-t-elle appris la fin dramatique d'Einar ? Comment a-t-elle réagi à cette nouvelle — et aussi, surtout peut-être, en réalisant qu'elle avait chevauché joyeusement aux côtés d'un fantôme ? Vous nous la décriviez, Jens, frêle et fragile : il y avait de quoi briser une âme plus forte que la sienne, non ?

— Écoutez, Niels, dit Jens, nous ne sommes pas fous — nous, les amis d'Ingrid. Nous ne lui avons jamais révélé qu'Einar était mort *avant* la chasse, vous pensez bien. Pour elle, l'accident s'est produit après. Pour Sibylla aussi d'ailleurs. A quoi bon troubler ces deux femmes, pour le restant de leurs jours, à se poser des questions insolubles ? Comme je vous le disais, Sibylla s'est mariée avec son officier de marine, très tôt après les obsèques, je ne l'ai plus revue. Elle vit à Copenhague, mais fréquente un milieu qui n'est pas du tout le mien. Ingrid n'est pas venue aux funérailles, son père et les médecins le lui ont interdit. C'est lui, le père, le baron Aasen, que d'abord j'ai prévenu et qui s'est chargé d'apprendre le malheur à sa fille. Souvent la gracilité physique dissimule un caractère d'airain. Ingrid n'a pas versé une larme, mais elle a distribué ses bijoux, ses toilettes, et s'est inscrite à l'École d'Architecture de Skive. D'abord, on ne voulait pas d'elle, c'était sans précédent, il n'y avait jamais eu de femme dans cette école. Mais elle a obligé son père à remuer ciel et terre, à faire intervenir des ministres, elle a brillamment obtenu son diplôme et c'est elle qui a repris la construction de l'hôpital, dont on avait abandonné les ruines après la catastrophe. Je suis allé, à plusieurs reprises, la voir diriger les travaux avec la fermeté d'un homme. Plutôt, c'était comme si... — j'hésite à m'exprimer clairement — comme si, frêle et faible femme, elle transmettait les ordres d'un patron absent mais d'une farouche énergie. Elle-même avait toujours, dans l'expression, quelque chose d'absent, un air de réflexion si intense qu'on eût dit qu'elle écoutait sans cesse une voix intérieure. Cela ne l'empêchait ni de sourire, ni de vous écouter, ni de répondre avec une grande clarté d'idées, même une grande précision. Mais avec l'air, toujours, de regarder quelque chose par-dessus votre épaule, derrière vous. Elle ne parlait jamais d'Einar et, pour ma part, je n'ai jamais osé non plus. Cependant l'hôpital a été achevé au rythme surprenant que lui aurait, de son vivant, imposé le disparu. Elle a même obtenu des autorités, qui n'avaient jamais voulu auparavant débloquer les crédits nécessaires, de consolider la terrasse par un vaste épaulement et des contreforts non prévus dans le devis — on n'a pas osé lui refuser cette coûteuse précaution, faute de laquelle Tsömjing a été tué. Elle n'avait pourtant fait aucune allusion à l'accident mortel. Elle a simplement dit, de sa petite voix frêle toute imprégnée d'une singulière vigueur : « Attendrez-vous le prochain glissement ? » et les édiles municipaux ont accordé tout ce qu'elle exigeait. L'un d'eux m'a avoué qu'ils tremblaient de peur : à chaque instant, ils s'attendaient à voir surgir Einar, en tenue de piqueur, pour exiger des comptes. Cette impression que l'ombre du mort n'a plus cessé d'accompagner Ingrid, je ne l'ai jamais eue au même point qu'eux, d'abord parce que je suis un homme très positif et puis... et puis... je ne porte aucune responsabilité dans la disparition d'Einar : rien de tel que d'avoir du sang sur les mains, comme lady Macbeth, pour voir des fantômes partout. Actuellement, Ingrid dirige les travaux de réfection de la cathédrale de Roskilde. Les maçons lui obéissent au doigt et à l'œil. A un ami gaffeur qui lui demandait si elle ne songeait pas à prendre époux, elle a répondu avec un sourire à le faire rentrer sous terre : « Je suis mariée depuis longtemps » — et

personne n'a plus jamais risqué pareille question.
Voilà, Niels. Ai-je répondu à la vôtre comme vous
vouliez ?

— Sans doute, sans doute, dit Niels. C'est très
intéressant. Toujours accompagnée... Knud rigole
dans son coin, libre à lui ; mais moi... Voyez-vous,
mes amis, je me suis toujours tenu pour un esprit
fort. Sceptique en diable et tranquille comme Baptiste.
Rien de tel, n'est-ce pas, que des études comme les
nôtres, la familiarité avec les problèmes de la
technique la plus mathématique, la résistance des
matériaux, les forces mécaniques, les champs, le
magnétisme, l'électricité, si mystérieux encore au
début du siècle et désormais ramenés à des lois claires
comme le jour, pour se dire qu'on a déterré toutes les
énigmes de la nature et qu'elle ne peut plus nous
cacher rien d'important. Diplôme en poche, j'ai
d'abord fait comme Knud, je suis parti pour
l'Allemagne : il y a dans ce pays, forcément, bien plus
de débouchés pour un jeune ingénieur que dans
notre trop petit Danemark. Étant d'esprit curieux, je
ne me suis pas attardé dans ma première place — une
minoterie en Hesse — ni dans la seconde ni les
suivantes. Je me suis occupé de fonderie, de filatures,
de mines, de force hydraulique — et même de
machines à coudre pour la cordonnerie industrielle.
Ainsi j'étendais le bagage de mes connaissances et
mes capacités à diriger n'importe. quelle entreprise,
les manufactures les plus variées. Et comme on était
chaque fois content de mes services, j'accumulai

d'excellentes références et toutes les portes où je frappai s'ouvrirent ensuite devant moi. Je vous dis cela sans vanité, simplement pour vous expliquer comment, un jour, ayant eu la curiosité des instruments de musique, je me suis fait engager sans coup férir chez un grand facteur de pianos, un Polonais de Cracovie, sur les marches de l'Autriche et de la Russie. J'ai toujours été attiré par ce pays, la Pologne, par son constant malheur, la sourde résistance des Polonais à l'assimilation, leur héroïque effort pour sauver leur culture de l'anéantissement. Mon facteur de pianos s'appelait Wyspievski. C'était un homme dans la trentaine, aux traits réguliers et fins et de noble prestance. Il n'était pas seulement fabricant de pianos, il en jouait lui-même merveilleusement. Comme je suis Danois, il s'est très tôt ouvert à moi de sa haine de l'occupant. De sorte que, m'ayant confié — en termes très généraux — le secret de ses activités clandestines, il m'a pris du même coup en affection. C'est une démarche constante de l'esprit humain : vous ne pouvez confier un secret dangereux sans aussitôt aimer le confident, pour la raison que, votre sécurité exigeant alors qu'il vous aime aussi, vous êtes porté à lui vouer les sentiments qu'une réciprocité un peu magique doit lui faire éprouver pour vous. C'est ainsi que mon jeune patron se prit d'amitié pour moi et que je devins un de ses familiers. Je ne sais si l'un de vous a connu Cracovie ?

Pas de réponse.

... Eh bien c'est une ville merveilleuse et imprégnée d'âme slave, et même d'âme tout court. Les Autrichiens, hélas, l'abâtardissent lentement d'un quartier moderne sans aucun intérêt ; toutefois la vieille ville est restée intacte dans toute son étendue. Elle est bâtie sur une sorte de plateau, d'éperon qui domine la Vistule ; le château, magnifique, occupant la pointe de l'éperon. Tout alentour ce ne sont que vieilles rues aux gros pavés bombés, silencieuses et secrètes entre les maisons basses couleur de pastels passés, aux grands porches toujours fermés et ornés de marteaux énormes. Elles débouchent sur une place immense bordée d'arcades et de boutiques, et dont l'extrême animation contraste avec la solitude des rues. La maison de Konrad Wyspievski était un peu à l'écart, sur un bord de l'éperon. Sans être très grande, elle avait une allure seigneuriale, avec son vaste toit d'ardoises sur d'épais murs hautains. Peu de fenêtres, et petites, sur la rue (ou plutôt la route : la plus proche maison étant à trois cents pas), de grandes et hautes fenêtres sur la vallée de la Vistule. D'abord, je n'y avais été invité qu'à des repas. Et puis, l'affection venant, Konrad m'avait proposé de m'établir dans une aile inoccupée, ce que j'avais accepté avec empressement — non que je fusse mal logé ailleurs, mais c'était forcément dans la ville neuve et donc peu sympathique : Au lieu que de ma fenêtre à présent je voyais le château flamboyer le soir dans le soleil couchant, et se dissoudre le matin doucement dans les brumes montant du fleuve.

Un autre voisinage merveilleux, c'était, dans l'aile où se trouvait ma chambre, une très grande bibliothèque. Je ne sais quelle part Konrad avait prise à sa constitution, quelle part son père et son grand-père. Je le voyais seulement l'enrichir constamment, l'amour des livres étant aussi vif chez lui que l'amour de la musique. C'était un passionné de belles éditions et de reliures rares, qu'il allait dénicher dans les ventes aux enchères, allant parfois jusqu'à Prague, Breslau ou Varsovie quand une pièce précieuse lui était signalée.

C'était un peu pour moi un supplice de Tantale, car il ne m'avait pas offert d'y piocher à ma guise, et je n'avais pas osé lui en demander la permission. Je n'en visitais les rayons, qui occupaient deux étages, que sous sa conduite. Une galerie courait à mi-hauteur, qui permettait de se passer d'échelle et que l'on atteignait par un petit escalier en colimaçon. Le plafond était vitré, de sorte qu'une lumière exquise faisait chatoyer l'immense alignement des cuirs et des dorures sur le dos des volumes sans nombre. Le plancher — fait d'une marqueterie de lames alternativement de chêne, de citronnier et de bois de rose, toujours cirée à glace — portait plusieurs globes terrestres considérables, sur des trépieds d'acajou verni : ils avaient des anciennetés diverses et c'était amusant de voir la forme des continents changer de l'un à l'autre et se préciser. Était présent aussi un globe céleste avec les ravissantes silhouettes des constellations — cygne, dauphin, dragon, scorpion, sagittaire... Dans le fond, une vitrine pleine d'instruments anciens, rebecs, violes de gambe, cithares, lyres, théorbes... Devant, une épinette ayant appartenu à Jean-Christian Bach ; et enfin le piano — de la fabrication de Pal Wyspievski, le père — sur lequel Chopin a composé, paraît-il, sa *Marche funèbre*.

Presque chaque soir, Konrad venait y jouer une heure ou deux et je m'étonnais un peu qu'il souffrît ma présence, tant il me semblait qu'à sa place j'eusse préféré ou bien la solitude, ou bien un vrai public. Tandis que jouer, jour après jour, pour moi tout seul... C'était d'autant plus surprenant que, le reste du temps, nous observions dans nos rapports la plus grande discrétion. S'il voulait m'avoir à un repas, il m'adressait — de vive voix ou d'une carte — une invitation dans les règles. Le reste du temps, je faisais ma tambouille dans la petite cuisine qui m'était réservée, quand je n'allais pas au restaurant. C'était infiniment mieux ainsi, chacun gardant de cette façon sa précieuse liberté. C'était seulement le soir que Konrad me faisait dire, par son valet de chambre, qu'il m'attendait dans la bibliothèque. Puis d'un accord tacite c'était devenu une habitude. Il me montrait les précieux incunables, les très riches heures enluminées — et je comprenais qu'il fût peu enclin à les laisser manier par des mains étrangères — les premières éditions de Montaigne, de Gœthe, de Milton, de Mickiewicz... Il caressait avec vénération la toute récente originale des *Châtiments* d'Hugo et celle d'un Russe presque inconnu (cela s'appelait *Le*

Double) actuellement encore au bagne en Sibérie et qui se nomme, je crois, « Dostoïevski » ou quelque chose comme ça : « Des hommes de cette trempe, me disait-il, sauvent la Russie du déshonneur. Sans eux, elle succomberait sous la haine des peuples. » Il me contait les souffrances de la Pologne sous les Tsars, la révolte si durement réprimée de 1830. « Les Français, disait-il, ont eu plus de chance que nous » — l'apparition d'une secte appelée « Les Faucheurs » (je devinai qu'il en faisait partie) qui rassemblait ses forces pour une nouvelle insurrection... Puis il s'installait au piano de Chopin et je l'écoutais jouer jusqu'à tomber de sommeil. S'il n'eût tenu qu'à lui, je ne sais à quelle heure nous nous serions couchés. Chaque soir, son expression manifestait le même regret de me voir prendre congé. Je ne savais à quoi attribuer cet étrange déplaisir. Certes, il m'aimait bien ; mais pas au point quand même qu'il souhaitât si fort ma compagnie nocturne ! On eût dit qu'il craignait de se retrouver seul — soit que la solitude, comme il arrive souvent, sollicitât en lui des idées noires, soit qu'il redoutât les fantômes ou les cambrioleurs...

Un soir je lui posai la question en riant. Il rit aussi, mais un peu jaune. Et curieusement il dit : « Non, je ne crains pas les cambrioleurs. » C'était presque une réponse ; néanmoins je demandai : « Alors les idées noires ? » et en souriant il secoua la tête : « Non plus. » Cette fois, c'était m'avouer franchement qu'il craignait les fantômes. J'en fus stupéfait, bien sûr. Je vous l'ai dit, je ne croyais alors ni à Dieu ni à Diable, encore moins aux revenants, et je ne pensais pas que quelqu'un pût encore y croire, au siècle de Maxwell et de Claude Bernard. Et voilà que cet homme, ce « faucheur », qui n'avait peur ni des prisons ni de la mort, m'avouait tout tranquillement qu'il craignait les fantômes ? D'abord je ne le crus pas et je dis — c'était ce que je voulais penser encore : « Vous plaisantez ? » Mais lui, sans cesser de sourire, mais en me regardant bien en face : « Non, pas le moins du monde. Et je suis heureux que vous me tendiez la perche ; je ne vous en aurais sans doute jamais parlé tout seul, de peur de paraître idiot... Mais puisque vous me le demandez... eh bien oui, cher ami, sachez-le : cette vieille maison si agréable que, pour tout l'or du monde, je ne la quitterais pas, cette maison est hantée, voilà !

— Vous parlez sérieusement ?

— Le plus sérieusement du monde. Ne craignez rien, ami, pour votre part ! votre aile est épargnée. Elle est de construction relativement récente et l'âme en peine ne s'y aventure pas. Mais le corps principal est du seizième siècle et c'est cette partie-là, où est ma chambre, que hante notre fantôme. Oh ! pas régulièrement. C'est un revenant à éclipses. Pendant huit jours, chaque nuit, il se promène partout ; et puis il disparaît pour des mois, des années. Mais il revient et recommence.

— Vous l'avez vu ? demandai-je d'un ton dubitatif.

— Mais non ! dit-il avec un rire. Ni chaînes ni

suaire ! Ce n'est pas un fantôme de folklore. C'est une âme toute nue, invisible, mais qui se manifeste avec assez de présence pour qu'on ne puisse ignorer soit qu'elle est là, soit au contraire qu'elle n'y est pas.

— Depuis quand ? demandai-je.

— Depuis la nuit des temps. Enfin, elle rôdait déjà lorsque grand-père était encore enfant et, disait-il, du temps de son grand-père aussi. Donc au moins cinq générations ont dû se faire à ces visites intermittentes. C'est cette intermittence qui est pénible. Si c'était une présence immuable, je m'y serais habitué sans doute. Mais il n'y a rien, je vous l'ai dit, pendant des mois, voire des années... et puis un beau soir, pan ! des portes claquent, des objets se déplacent, des livres, je me réveille avec un souffle sur la joue — je ne suis pas froussard mais quand même... — des fenêtres s'ouvrent ou se ferment, cela dure six, huit, dix jours, et cesse tout d'un coup sans qu'on sache ni pourquoi ni comment. Puis rien pendant des mois, voire parfois un an, deux ans ; mais parfois aussi seulement quelques semaines ; de sorte qu'on n'est jamais sûr de rien ; et que l'on est sans cesse sur le qui-vive. Et voilà pourquoi, cher ami, je n'aime pas tellement rester seul, la nuit venue.

— Eh bien, dis-je, pourquoi ne venez-vous pas dormir dans la même aile que moi, puisqu'elle est épargnée ? Voulez-vous faire l'échange ? Je prends votre chambre et vous prenez la mienne ?

— Je vois, dit-il, que vous ne me croyez pas. Vous

me trouvez, n'est-ce pas, un peu toqué, comme on dit aujourd'hui.

— C'est-à-dire... si l'on croit aux fantômes... il est bien naturel d'avoir peur, un peu. Et l'on n'est pas toqué pour autant. Seulement moi, je veux bien vous croire, voyez-vous ; mais les fantômes, non.

— Donc vous n'auriez aucune appréhension à coucher dans ma chambre ?

— Vraiment aucune.

— Eh bien, dit-il, dans ce cas, cher ami, j'accepte votre proposition : nous échangerons nos chambres. Pas tout de suite, à quoi bon ? il ne se passe rien pour le moment. Mais nous le ferons au premier signe. D'accord ?

— D'accord ! acquiesçai-je en riant, cette histoire m'amusait. »

Et cette conversation eut au moins ce résultat que Konrad Wyspievski me quitta, ce soir-là, sans appréhension. Et pareillement les jours suivants. Avec pour conséquence qu'il me laissait aller au lit de meilleure heure. Ce qui me surprit toutefois, ce fut que c'était moi qui dormais moins bien ; comme si son histoire de fantôme avait rendu mon sommeil plus léger. Je ne dormais que d'un œil. Cela m'agaçait fort et je me traitais d'imbécile. Puis, heureusement, rien ne se produisant, je retrouvai mon sommeil habituel. Enfin, avec le temps, j'oubliai toute l'affaire. Konrad n'en parlait plus et je cessai d'y penser.

Jusqu'à certaine nuit que je fus réveillé par le léger

claquement d'une porte. Ce n'était pas tout près, ni loin non plus, comme venant des profondeurs de la maison. Puis il y eut un deuxième claquement, toujours léger mais plus proche. Je guettai si j'entendais des pas — mais rien. Un dernier claquement me parut venir de la bibliothèque et ma chambre fut traversée par un courant d'air — je dors la fenêtre ouverte. Je me levai, allumai une chandelle, traversai le couloir et pénétrai dans la grande salle. La lune caressait les rayons, à travers la verrière, d'une lumière blafarde. Et juste en face de moi, à l'autre bout de la longue pièce, une chandelle brillait aussi. Derrière je reconnus Konrad, comme moi en chemise de nuit. Il s'approcha. « Vous avez entendu ? dit-il — sa voix tremblait un peu.

— Oui, dis-je en m'amusant de la petite peur que j'avais eue. C'était donc vous tout simplement.

— Moi ? dit-il vivement. Pas le moins du monde !

— Comment ! dis-je toujours riant, seriez-vous un fantôme ?

— Ce n'est pas moi que vous avez entendu ouvrir et fermer des portes, chuchota-t-il. C'est de les entendre claquer qui m'a amené ici — comme vous-même.

— Vous voulez dire... Mais je n'achevai pas, moitié crainte du ridicule, moitié parce que j'étais quand même impressionné. Il rit à son tour — mais tout bas, comme des enfants en classe pour n'être pas entendus — tout bas et sans cesser de trembler légèrement. « Oui *il* est là, murmura-t-il, peut-être même dans cette pièce... *il* la fréquente beaucoup... et nous allons *l'*avoir ici pour quelque temps... » Il me regarda fixement avant de dire : « Vous vous rappelez ce que nous nous étions promis ?

— D'échanger nos chambres ?

— Justement. Oui ?

— Dès ce soir ? (cela me semblait plutôt précipité.)

— Non, non ! dit-il en riant de nouveau, toujours tout bas. Non, ce n'est pas la peur, *il* n'a jamais fait à personne le moindre mal. C'est seulement un peu éprouvant de *le* savoir là, autour de moi, qui rôde et qui cherche — qui cherche quoi ? — et puis je ne serai pas fâché d'entendre, ensuite, ce que vous en penserez. D'ici-là, bonne nuit, dormez bien. Je ferai transporter nos affaires demain dans la journée, si cela vous convient. D'accord ? répéta-t-il.

— Mais bien sûr ! Couard qui s'en dédit ! Je coucherai dans votre lit demain soir, et vous dans le mien. »

Nous nous sommes séparés sur ces mots. J'avoue avoir eu du mal à m'assoupir, bien qu'aucun bruit ensuite ne se fût fait entendre. Au matin j'avais la tête un peu lourde, les yeux battus. Mais Konrad me parut bien plus défait que moi. Il m'avoua avoir très mal dormi — en fait je crois qu'il n'avait pas dormi du tout. Il n'y avait plus eu de portes claquées, mais, disait-il, toutes sortes de bruissements inhabituels et insolites : des tintements de verres. Des froissements de feuilles. Bref, cela l'avait tenu éveillé toute la nuit. Étais-je toujours disposé, malgré tout, à dormir dans sa chambre. Il comprendrait très bien, disait-il...

mais j'étais beaucoup trop fier pour me dédire et puis — outre la peur du ridicule — une vive curiosité m'animait.

Et donc, ce deuxième soir, après qu'il m'eut comme d'habitude charmé d'une séance musicale, pour laquelle il avait choisi les fantaisies de Mozart les plus vives et les plus enjouées — était-ce pour exprimer son soulagement d'aller dormir en un lieu non hanté ? — nous nous sommes séparés comme deux complices, amusés mais un peu tendus.

La chambre de Konrad était vaste et richement meublée, quoique de façon peu personnelle : visiblement elle datait de loin, du grand-père ou de l'arrière-grand-père, voire même de plus longtemps, et avait été peu modifiée depuis. Le lit, comme il se doit, était à baldaquin, les fauteuils à oreilles, tapissés au point de croix, une lourde armoire à panneaux diamantés faisait face à une commode ventrue, les murs étaient tendus de cuir de Cordoue. C'était à la fois accueillant et rébarbatif : chaud mais sombre, raffiné mais sévère. Néanmoins je m'y plus, dans l'ensemble : la vie avait passé par là, caressé tous ces meubles, on y avait aimé, souffert, et cela se sentait. Je me couchai dans les meilleures dispositions du monde et me réveillai le lendemain matin après avoir dormi d'une seule traite : rien n'était venu troubler mon sommeil.

Konrad et moi en fûmes presque déçus. Avait-ce été, la veille, une fausse alerte ? Et ne serait-ce pas un peu idiot, dans ce cas, de continuer notre échange de lits ? Néanmoins, et d'un commun accord, nous décidâmes de poursuivre l'expérience, au moins pour une ou deux nuits encore. Le soir, comme d'habitude, nous pénétrâmes dans la bibliothèque pour la séance de piano quotidienne — et Konrad s'arrêta sur le seuil, un peu saisi : au beau milieu du plancher de marqueterie gisait, ouvert, un grand in-quarto dont se dressaient, en éventail, les feuilles un peu jaunies entre les plats de basane luisante. Comme si quelqu'un l'avait laissé choir là, distrait ou désinvolte. Konrad en reconnut tout de suite la provenance, que confirmait le manque entre les autres volumes sur un des rayons de la galerie : Géographie, Voyages.

Konrad courut le ramasser. Pas de bobo, heureusement : cuir et papier étaient intacts. Nous en lûmes le titre : *Chronique d'une Navigation sur le Manicouagan*, par Juan Ramôn Elmez de Cispados, traduit en allemand de l'espagnol en 1626, orné de nombreuses cartes et gravures sur cuivre. Qui donc avait pu sortir ce livre de son rayon, qui donc l'avait ainsi abandonné sur le parquet ? Ce ne pouvait être aucun des membres du personnel, seule ayant accès à la bibliothèque la domestique chargée du nettoyage. Et qu'elle eût pris un tel ouvrage pour le jeter sur le sol ensuite était proprement inconcevable. Konrad ne disait rien. Il restait là, pensif, à passer et repasser sa manche sur les plats du volume (dorés aux armes de Jagellon) comme pour en enlever toute trace de poussière. « Ne faudrait-il pas vérifier, lui dis-je, qui a pu pénétrer ici depuis hier ?

— Non, ce n'est pas la peine, dit-il du même air pensif.

— Parce que vous êtes déjà sûr que personne...

— Je le ferais si c'était la première fois, m'interrompit-il nerveusement. Mais c'est toujours ce livre-là, dit-il ; toujours. » Sans qu'il ajoutât rien je compris bien de quoi il retournait dans son esprit ; mais moi, je n'en pouvais rien croire, je restais sceptique et soupçonnais quelque marmiton amateur de récits d'aventures et qui, en nous entendant approcher, se serait enfui en panique sans prendre le temps de remettre le livre en place. Nous ne reparlâmes pas d'ailleurs de l'incident, la soirée se passa comme à l'ordinaire et nous allâmes nous coucher, lui dans ma chambre, moi dans la sienne, comme si de rien n'était.

Mais au milieu de la nuit, cette fois, je m'éveillai en sursaut. Avais-je entendu quelque chose ? Dehors le vent s'était levé mais, surtout, c'était à l'intérieur comme un pouls assourdi, comme si les murs eussent doucement battu : vite... vite... semblait dire le pouls de la maison... Une porte s'ouvrait, une autre se fermait, les vitres tremblaient sous la bourrasque — était-ce le vent qui faisait battre l'air ainsi, comme le rythme d'une artère au poignet ? Vite... vite... vite... disait doucement le pouls de la maison... Qui donc soulevait ici, ouvrait là, cherchait dans un tiroir, fouillait parmi des lettres, des papiers ? Voilà l'impression que j'avais dans le noir. Je n'osais pas quitter mon lit — mais nullement de peur : seulement la crainte d'intervenir maladroitement, de faire fuir cette présence impalpable. Rien ne bougeait pourtant, ne se voyait, mes yeux s'étaient habitués à l'obscurité et la chambre, en dehors de moi, était manifestement déserte.

Déserte mais animée de vibrations, de souffles. A aucun moment toutefois je n'en sentis passer sur mon visage, comme Konrad en avait fait l'expérience frissonnante. Mon expérience à moi se limitait au domaine des rumeurs indistinctes. Mes yeux s'étaient tout à fait habitués et alors, les murmures confus s'étant dirigés vers la porte, j'y portai mon regard. J'entendis celle-ci doucement s'ouvrir et se fermer — les gonds mêmes grincer, la serrure cliqueter — mais sans que je la visse bouger d'un pouce. Puis tandis que, dans la chambre, cessaient souffles et murmures, ils se prolongèrent dans le couloir, s'éloignant à mesure. Cette fois je me levai, gagnai la porte, l'ouvris (réellement) et suivis de loin dans les galeries ces bruissements fugitifs. Comme je le supposais, ils me conduisirent à la bibliothèque. J'y pénétrai. Tout m'y parut en ordre, sous la pâleur lunaire, aucun livre ne traînait nulle part comme la veille. Néanmoins je grimpai le petit escalier en colimaçon pour vérifier si la *Chronique d'une Navigation* était bien à sa place. Oui. Rien n'avait bougé. « Allons ! pensai-je. Comme un naïf je me suis laissé impressionner. » Mais, à peine avais-je formulé cette pensée (en m'éloignant déjà) que je me sentis presque renversé par un choc à la tempe. Un oiseau ? Un hibou ? J'avais vu quelque chose voler puis disparaître. M'étant retourné alors pour voir d'où l'oiseau aurait pu surgir, ce que je constatai, ce fut une fente noire, sur le rayon où un instant plus tôt la *Chronique* se trouvait encore. Elle n'y était plus.

Vous imaginez ma stupeur. J'étais seul, absolument tout seul. Le livre s'était envolé seul, lui aussi, me cognant la tempe au passage. Où se trouvait-il maintenant ? Je courus à ma chambre faire de la lumière, revins avec la chandelle éclairer la bibliothèque, cherchai le volume partout. Il resta introuvable.

J'hésitai à réveiller Konrad. A quoi bon à présent ? Tout bruit, toute rumeur avaient disparu, le pouls cessé de battre. Je décidai d'attendre le matin : il serait temps. Retourné moi-même au lit, j'eus quelque mal à me rendormir, malgré l'absence de tout fait insolite. Une fois dans le noir je me demandai d'ailleurs si je n'avais pas rêvé. Ou mal vu. Ou autre chose. Et si tout ne serait pas, à mon réveil, tranquillement à sa place.

Au matin mon premier soin, naturellement, fut d'aller dans la bibliothèque examiner les lieux. L'absence du volume envolé me frappa au premier coup d'œil — telle une dent qui manque dans le sourire d'une femme. Je regardai, furetai dans tous les coins ; mais, pas plus que la veille, je ne retrouvai rien. Je me décidai enfin à prévenir Konrad. Je n'eus pas à le faire : il était là. Immobile, un peu pâle, sur le pas de la porte. « *Il* l'a pris de nouveau, n'est-ce pas ? » me lança-t-il sans même me saluer et, cette fois, je ne me sentis pas le cœur à rire. Quelle meilleure hypothèse lui aurais-je opposée ?

« Je l'ai vu s'envoler cette nuit, reconnus-je.

— Qui ? cria-t-il.

— Le livre — le volume — la *Chronique* ! précisai-je en hâte.

— Ah, fit-il calmement : toujours le même...

— Pourquoi *toujours* ? Ce n'est que la deuxième fois, n'exagérons rien.

— Pour ce coup-ci, admit-il. Mais *il* n'en a qu'à cet ouvrage, *il* n'en prend jamais d'autre, voyez-vous. *Il* l'emportait déjà du temps de mon père, de grand-père. Je ne sais pas ce qu'*il* y trouve...

— C'est un fantôme qui doit aimer les récits d'aventures, dis-je en m'efforçant de rire — mais c'était pour faire bonne contenance. J'ignore où il a bien pu l'emporter, ajoutai-je. Le volume est resté introuvable, malgré mes recherches.

— *Il* ne l'emporte jamais très loin, dit Konrad. Cherchons bien. »

Nous finîmes effectivement par dénicher le livre, presque invisible sur le parquet, dans l'ombre formée entre les pieds d'un des grands globes terrestres. C'était un globe du seizième siècle, patiné et jauni par l'usage. Des lions, des chameaux, des girafes un peu comiques y peuplaient une Afrique de forme assez grossière. Quelques Indiens à plumes figuraient sur un Nouveau Monde dont les terres du Canada se perdaient, au nord, jusqu'au pôle, confondues avec un continent arctique imaginaire dont le Groenland, l'Islande n'étaient comme le Labrador que des caps indistincts.

Pendant que Konrad époussetait la précieuse reliure avant de remettre le volume en place, je me faisais la réflexion que cette *Chronique d'une Navigation sur le Manicouagan* était contemporaine du globe terrestre sous lequel nous l'avions retrouvée. A moins d'être un hasard, cela ne pouvait manquer de signification. Si ce vol puis cet oubli eussent été le fait d'un historien, d'un géographe, j'aurais pensé que celui-ci avait cherché, sur le globe de l'époque, le dessin du fleuve décrit dans le volume, pour comparer. C'est ce qui me donna l'idée de solliciter de Wyspievski la permission d'étudier l'ouvrage, lui promettant que j'en prendrais grand soin. Il me l'accorda volontiers et, le soir même, je l'emportai dans ma chambre (celle, au vrai, de Konrad) et me plongeai dans sa lecture.

Il est lassant, de nos jours, de suivre un tel récit d'exploration : la langue en est trop belle, trop fleurie. Les faits, les descriptions se diluent dans les effets de style. Je tournais parfois impatiemment les pages, au risque de manquer des passages importants. De cette première lecture, ou plutôt de ce survol, je retins néanmoins, en gros et en résumé, qu'Elmez de Cispados, en l'an 1612, ayant obtenu de Philippe III d'Espagne les subsides nécessaires, décida d'explorer, à la recherche de l'or, les terres inconnues du nord de l'Amerique. Si importante qu'elle fût, la subvention fut engloutie au cours des seuls préparatifs, avant que le *Cuevas del Mahon* — galion à deux ponts armé en brick — eût pris le large dans l'Atlantique. Il dut relâcher six mois dans le port de La Rochelle, délai pendant lequel Elmez chercha d'autres subsides. Il les trouva auprès de Sigismond de Pologne, à condition qu'il prît pour second à son bord un homme de l'entourage du roi. Ce fut un prince lithuanien du nom de Gédymin, qui se fit accompagner soi-même de quelques hommes à lui, venus de Silésie, de Galicie. Quelques semaines plus tard, le *Cuevas del Mahon* pouvait enfin appareiller. Il mit quarante-deux jours — retardé par des vents contraires — pour aborder au Labrador. De là, par le détroit, il gagna le Saint-Laurent, où le navire fut mis à l'ancre sous la garde de quelques gabiers ; et les membres de l'expédition s'enfoncèrent vers l'ouest en remontant le Manicouagan. Ils échangèrent des pacotilles et de la poudre à fusil contre des embarcations et quelques guides hurons. Ils trouvèrent un peu d'or mais ramenèrent surtout des fourrures, des cuprites et de l'orpiment. Ils rencontrèrent aussi les fièvres et perdirent quelques hommes, qui furent enterrés sur place. Quelques autres furent tués au cours d'engagements avec des tribus rétives. Mais enfin, dans l'ensemble, ce fut une expédition réussie. L'essentiel de la narration décrit la flore, la faune et les populations rencontrées. Juan Ramôn était un de ces aventuriers de haut vol, mais aussi de haute culture, avides de connaissances autant que de richesses. Il dessinait très bien et ses planches botaniques sont d'une grâce et d'une finesse extrêmes. Je pris un grand plaisir à parcourir l'ouvrage.

Si grand même que je le feuilletais encore, à la lueur d'une lampe à pétrole, quand j'aurais dû être endormi depuis longtemps. Je ne fus pas distrait tout de suite de ma lecture par les premières et confuses rumeurs qui surgirent çà et là dans la chambre. J'étais trop occupé à lire. Je n'y pris vraiment garde que lorsqu'un souffle inattendu éteignit la lampe. Tandis que, dans le noir, je battais le briquet pour la rallumer, je me sentis entouré de palpitations : comme une volée d'oiseaux battant des ailes. Il me semblait, parfois, sentir l'extrêmité d'une plume impalpable et légère frissonner contre ma joue, ma nuque ; effleurer le dos de mes mains qui s'énervaient à faire jaillir une flamme récalcitrante. Quand j'eus enfin rallumé la mèche, cette invisible palpitation cessa un instant, puis reprit aussitôt. Je ne saurais pas vous la décrire vraiment, telle un vol de mésanges éblouies se heurtant aux objets, aux murs. Une sorte d'affolement et d'impatience. Je ne sais ce que mes pauvres mots peuvent évoquer pour vous — mais, pour moi, toute cette fièvre de souffles effervescents, d'effluves effarouchés prit le sens d'une troublante, effarante évidence : c'était *lui*, *il* était là ;

il m'entourait de sa présence agitée, inquiète ; comme si... comme si... oui... de tenir ce livre dans mes mains... comme si je le privais, *lui*, d'une lecture impérieuse et vitale. Ce fut, pour moi, tellement manifeste et sensible que je soulevai le grand in-quarto et le plaquai sur ma poitrine, l'abritant de mes bras comme je l'eusse fait contre un voleur ; et c'est tenant le livre contre moi et protégeant sa précieuse reliure que je regagnai la bibliothèque, tout entouré, au long des couloirs sombres, du même vol palpitant d'oiseaux invisibles — non sans me sentir, vous pensez bien, la peau couverte de chair de poule, l'échine rebroussée d'un frisson ininterrompu. Mais enfin je parvins sans accroc jusqu'au rayon où je rangeai l'ouvrage et je demeurai là, debout, à monter la garde en tremblant, jusqu'à ce que toute cette agitation, toute cette effervescence finît par se calmer. Il y eut encore, un certain temps, des rumeurs faiblissantes, des bruits de tiroirs et de portes que l'on ouvre et qu'on ferme ; puis, enfin tout se tut et je retournai me coucher. Je ne prétendrai pas que je n'eus aucun mal à m'endormir.

Mais, au réveil, le sentiment qui m'envahit ne fut nullement celui qu'on aurait pu attendre. Ce fut, ce sentiment, celui d'une immense pitié. C'est ce que je dis à Konrad, venu bien sûr aux nouvelles :

« C'est une âme en peine, lui dis-je. En très grande peine.

— Oui — mais de quoi ?

— D'une chose, je ne sais laquelle, mais en rapport

avec des faits ou des gens mentionnés dans ce livre. Donnez-moi congé quelques jours — le soir, c'est trop mouvementé !... — et j'étudierai cela sérieusement. »

Ainsi fut fait. Pareillement, et du même coup, j'obtins l'accès à l'immense fichier de la bibliothèque, avec la permission de consulter n'importe quel ouvrage, si précieux fût-il. Je vous tiendrai quittes de mes recherches, de ma persévérance, de mes erreurs, de mes lectures inutiles, pour en venir tout droit à l'essentiel. Ayant d'abord entrepris une lecture appliquée et patiente de la *Chronique d'une Navigation*, je notai, du récit des préparatifs, tout ce qui concernait la Pologne. Je relevai les noms des hommes engagés par Gédymin, tout spécialement en Galicie. Ils étaient une douzaine. J'avais un moment caressé l'espoir que j'y trouverais peut-être un Wyspievski ; mais c'eût été trop beau. Je ne me rappelle plus les noms de tous ; il suffira d'un seul : Vladimir Sternovitz. « Jeune baron balte » ajoutait brièvement l'auteur, sans autre précision. Je recherchai au catalogue les ouvrages sur les pays baltes, sans me laisser décourager par les échecs. Bref, je finis par tomber sur une sorte de Gotha, datant de 1736, où était relatée l'histoire des grandes familles de la région. Celle des Sternovitz, au demeurant de petite noblesse, tenait peu de place et s'arrêtait court : le dernier descendant mâle étant mort outre-mer en 1614. Il s'appelait Vladimir.

« Vladimir ! » Je vérifiai : deux hommes de Gédymin étaient portés disparus après un engagement avec des Mohicans rebelles. Elmez ne donnait pas leurs noms — mais Sternovitz n'était plus jamais nommé dans l'équipe du retour. M'étant reporté à l'autre ouvrage — le Gotha — je notai que Vladimir avait épousé une demoiselle Bielska, de Cracovie, dont il n'avait pas eu d'enfant. Elle aussi était morte en 1614...

Une demoiselle de Cracovie... Quand je revis Konrad, je lui demandai comment s'appelait sa mère. « Bielska », dit-il — et vous imaginez notre trouble. Sur les femmes de son ascendance il savait peu de chose, surtout sur les collatérales ; mais dans sa bibliothèque figurait un immense in-folio où l'arbre généalogique des familles Wyspievski et Bielska avait été dressé par un héraldiste allemand. Nous y retrouvâmes sans peine la Katherine Bielska morte en 1614. Son mariage, en 1610, avec Vladimir Sternovitz (1582 - 161 ?) y était mentionné. Notre science s'arrêtait là.

Mais n'était-il pas à la fois facile et audacieux de tout reconstituer ? Konrad l'eut bientôt fait, et moi aussi. Bien sûr rien n'est certain. Aucune preuve n'est possible. Mais on ne m'ôtera pas de l'idée que c'est bien ce qui est arrivé.

D'abord nous nous étions trompés : ce n'était pa *lui*, mais *elle* qui hantait la maison. Elle, jeune fille amoureuse d'un jeune baron entreprenant, qui la prend pour épouse, vit deux ans avec elle, puis s'embarque avec Elmez et Gédymin sur le *Cuevas del Mahon* à la recherche de l'or. Il part mais ne revient pas : les Mohicans l'ont tué quelque part sur le Manicouagan et il est enterré là-bas, Dieu sait où. Quand l'expédition réapparaît sans lui, Katherine meurt la même année — volontairement ou de chagrin. Tout cela est certain, enfin presque certain. Ensuite... eh bien, voilà : ensuite, mes amis, *elle* le cherche. Peut-être qu'*il* la cherche aussi. Mais comment se retrouver quand une âme flotte en Pologne et l'autre dans le fin fond de l'Ontario ? Tout ce qu'*elle* a, *elle*, à Cracovie, c'est cet in-quarto aux armes de Jagellon où Elmez de Cispados mentionne les faits et les lieux — mais avec toute l'imprécision topographique d'un voyage de ce genre, à cette époque. Alors *elle* lit, *elle* lit — puis *elle* part explorer. Ne trouve pas. Revient et recommence. Depuis 1614 voilà qui peut nous paraître incroyablement long, une tragique, impossible patience. Mais, voyez-vous, le temps n'est peut-être pas le même pour *eux* que pour nous. Ni les distances. Ou bien peut-être est-ce une forme d'enfer pour leurs péchés. Je n'en sais rien. Et peut-être enfin, que je me trompe. Mais qu'*elle* m'ait poursuivi, entouré de cette farouche effervescence parce que je la privais de sa lecture, de sa recherche passionnée, de cela je suis sûr, personne ne me fera croire le contraire. Et je vais vous dire : je crois qu'*elle* l'a retrouvé, *lui*. Ou bien lui *elle*. Enfin, je les crois ensemble. Là-bas, à Cracovie. C'est arrivé deux ou trois ans plus tard, quand j'y étais encore. D'abord Konrad et moi avions pris une décision ; de ne plus

jamais priver la pauvre morte de sa *Chronique* trop
imparfaite. Presque chaque matin — pendant les
courtes périodes où *elle* était là — nous retrouvions le
livre à une place différente. Et puis nous avons
compris qu'*elle* cherchait aussi des documents — dans
tous les coins de la maison — vite... vite... vite... vite...
— des lettres probablement. Il avait dû lui écrire, de
là-bas. Et *elle* aurait voulu, sans doute, comparer.
Mais retrouver des lettres, vous pensez bien, depuis
1614 !... N'empêche qu'*elle* a dû mettre la main (si
j'ose dire) sur quelque chose. Pendant des nuits et des
nuits on a remué des affaires dans les greniers. Et puis
subitement plus rien et, pendant des mois, les nuits
sont redevenues parfaitement calmes et silencieuses.
Konrad a réintégré sa chambre. Quand même nous
attendions : si nos suppositions étaient justes, si ce
n'était pas pure imagination, il était prévisible qu'une
fois de plus *elle* reviendrait. Et recommencerait. Et *elle*
est revenue effectivement. Des mois et des mois plus
tard. Mais, cette fois, pas seule. Et *elle* n'a pas
recommencé. Nous les savions là, tous les deux — *ils*
ne sont plus jamais repartis — parce que toujours
quelque part une porte s'ouvrait ou se fermait,
quelque chose flottait au plafond, se pendait au mur,
une ombre passait sur le tapis, on les devinait allant
d'une pièce à l'autre, la main dans la main, ce couple
réuni et heureux. Un sentiment, bien sûr, c'était
seulement un sentiment, ça n'a jamais été davantage.
Mais qu'*eux* aussi cherchaient — quoi ? — et cette fois
ensemble, cela me semblait sûr, absolument certain,

j'en aurais mis ma main au feu. Viens... viens...
viens... battait doucement le pouls de la maison.
Était-ce ici ? Était-ce là ? Konrad, plus nerveux que
je n'étais, avait de nouveau échangé sa chambre avec
moi, et je *les* entendais errer à travers les pièces,
ouvrant ou fermant des fenêtres, soulevant des
tentures, examinant de fond en comble, à la
poursuite de je ne savais quel trésor caché. J'avais fini
par *les* aimer, voyez-vous, ces deux-là, et je souhaitais
ardemment les voir trouver ce qu'*ils* cherchaient,
autant que j'avais souhaité d'abord qu'*ils* se
retrouvent eux-mêmes. Mais j'ignorais absolument la
nature du trésor, n'est-ce pas. Jusqu'à ce qu'une nuit,
je me suis réveillé, comme il arrive souvent, avec
l'illumination de la vérité : *ils* ne cherchaient rien, ces
amants heureux. Rien qu'eux-mêmes et leur amour
ancien. Rien que les mille souvenirs de ces deux
brèves années où ils avaient vécu ensemble, ici, à
Cracovie. Et comme ils en avaient à l'infini, de ces
souvenirs, en haut, en bas, dans les salons et dans les
chambres, dans les celliers, dans les greniers, dans les
caves, dans les cours et dans les jardins, toutes les
nuits *ils* allaient et pénétraient partout, pour le
retrouver, leur trésor — leur doux trésor de lumière.
Va... va... va... va... battait lumineusement le pouls de
la maison, et cela m'empêchait de dormir, mais je me
sentais heureux. Si bien qu'ils ont dû finir par le
deviner que j'épousais leur joie et par me prendre
moi-même en amitié. Car ils en vinrent à l'habitude,
chaque nuit avant de disparaître, de me dire adieu

d'un frôlement de leurs ailes invisibles, à l'emplacement du cœur, un souffle d'une légèreté extrême. Et je vous jure que je n'avais plus peur, non, plus peur du tout, plus la moindre chair de poule ni le moindre frisson d'échine. Au contraire, je n'aurais plus voulu m'endormir sans avoir reçu cette caresse d'adieu, ce signe de connivence que deux amants heureux aimaient à discrètement et doucement adresser à qui avait compris leur bonheur et le partageait. Et quand enfin l'envie me prit, une fois de plus, de changer d'horizon et d'emploi, ce qui me retint de le faire des semaines et des mois encore, ce fut l'idée et le regret de me séparer d'*eux*. J'en éprouvais d'avance une tendre nostalgie et, pour tout dire, je n'ai jamais cessé depuis de l'éprouver. Voilà, chers amis, croyez-moi ou non — et je vois bien que Knud s'amuse de ma crédulité, puisqu'il n'a même pas cru, lui, à ce qui se passait sous ses yeux. Mais moi...

— Mais moi, dit joyeusement Sophus, je vais vous raconter l'histoire du père Raken.

Chapitre 5

— Moi, dit Sophus, toute mon enfance je l'ai passée dans un village de Seeland dont je doute que vous connaissiez même le nom : il s'appelle Lillihamsteraalborg et est aussi petit que son nom est long. Les villageois sont très sourcilleux sur ce nom et détestent l'entendre écorcher. Entre eux, ils l'appellent tout simplement Lilli ; mais si quelque étranger à la région demande le chemin de Lilli, ou même de Lillihamster, ou même de Lillihamsteraal, ils font semblant de ne pas savoir de quoi vous parlez. Si jamais vous devez y aller, je vous conseille d'écrire ce nom sur un papier afin de le prononcer correctement. Je vous signale, en outre, que vous devez avaler les syllabes, comme si c'était écrit Lîhmstrâlborg en ouvrant largement le o de la fin. Sinon vous aurez devant vous des yeux surpris et incompréhensifs, et l'on secouera la tête d'un air d'ignorance désolée.

Je le sais parce que, lorsque j'étais enfant, dans ce village, j'ai maintes fois joué cette ignorance, exagérant même, sur les adultes comme font toujours les enfants. J'étais un patriote des plus chauvins concernant Lillihamsteraalborg et la façon de prononcer son nom. Pour la raison — valable pour tous les habitants — que notre humble village n'avait rien, absolument rien, qui le distinguât en quoi que ce fût, sauf ce patronyme démesuré. Aussi y tenait-il comme à la prunelle de ses yeux. Ce que je dis là est d'ailleurs une vérité universelle : rien n'importe plus à un individu que ce qui peut le différencier de la masse des autres et lui donner le sentiment qu'il existe par lui-même. La crainte de l'anonymat est une des plus lourdes à supporter et l'on ferait n'importe quoi pour s'y soustraire. J'ai eu, afin d'apprendre la langue, une répétitrice d'allemand qui portait près du nez un énorme pois chiche : « Tout le monde me reconnaît ! » disait-elle toute heureuse — encore n'était-ce pas suffisant sans doute car (tant était fort et insupportable son sentiment d'inexistence) elle me confia que son vœu le plus cher était de se faire écraser : « On parlera de moi dans les journaux. » Voilà pourquoi mes villageois tenaient tellement au nom de Lillihamsteraalborg et s'en paraient comme d'une vertu.

La première fois que j'ai rencontré le père Raken, c'était justement dans les circonstances que j'ai dites. J'étais allé aux champignons et je ramassais des psalliotes dans l'herbe d'un pâturage quand je m'entendis interpeller : « Hé, petit ! Le chemin qui mène à Lilli ? Est-ce bien celui-ci ?

— Lilli ? Quel Lilli ?

— Lillihamster-et-quelque-chose.

— Je ne sais pas, lui dis-je. Je ne connais pas de Lillihamster. »

Raken n'était pas encore, à cette époque, le père Raken ; c'était monsieur Raken le vétérinaire. Son visage ne portait pas non plus, allant de la pommette au menton, la longue cicatrice rougeâtre rappelant le coup de sabot d'une jument qu'il soignait qui lui avait brisé la mâchoire et ouvert la joue. C'était un homme dans la maturité et s'il portait moustache — une longue moustache à la viking, plus haute d'un côté que de l'autre — le poil en était encore d'un roux flamboyant et non de ce blanc taché de rouille qu'il aurait plus tard, dans sa vieillesse. Sauf en de rares occasions, il ne s'habillait jamais en « monsieur », comme par exemple le docteur Falst ; il portait la blouse bleue des paysans, qu'il estimait à la fois bien plus commode pour son métier et mettant ses clients plus à l'aise. Il se flattait d'ailleurs d'être paysan lui-même (son père effectivement était fermier), ce que confirmait son accent du terroir et même sa façon de parler. Peut-être y mettait-il un peu de coquetterie. Disons qu'il n'avait pas besoin de se forcer.

A l'époque où il me demandait, imparfaitement, le chemin de Lillihamsteraalborg, il venait de s'installer dans un petit bourg relativement voisin, Skibiö, près de Nyborg. Il connaissait donc mal encore la région et c'est pourquoi il me demandait son chemin. J'étais tout petit garçon en ce temps-là ; son cheval près de moi me paraissait énorme, bien que ce ne fût qu'une espèce de pouliche mulassière qui, sûrement peu rapide, devait être d'une résistance à toute épreuve aux longs parcours et au mauvais temps. Il la montait sans élégance, mais avec une aisance râblée. Cavalier et monture se ressemblaient : calmes, vigoureux, déterminés. Mon père l'aimait beaucoup.

Car il devint un familier de la maison. Mon père, comme vous savez, était notaire, et maire de Lillihamsteraalborg. Son étude était à Skibiö mais nous habitions le village — juste un peu à l'écart. « Le château », disait-on du modeste bâtiment qui nous abritait, et devait cet honneur à son toit d'ardoise : tout le village était, il est encore couvert de chaume. Nous avions quelques bêtes — un âne, deux chevaux, trois vaches — que ce Raken était venu soigner. C'était même, ce jour-là, ce que soudain j'avais compris quand l'étranger, un peu agacé, m'avait dit être le vétérinaire. Notre âne était malade, toussait à fendre l'âme, cet inconnu venait l'examiner, tout aussitôt je me souvins que Lillihamster-et-quelque-chose était mon propre village et je conduisis moi-même le cavalier à la maison. Je ne sais comment mon père et lui se mirent à parler politique tandis que le vétérinaire faisait à notre âne des enveloppements de moutarde et se trouvèrent tellement d'accord qu'ils devinrent des amis. Moi, j'étais étonné. Car mon père avait le parler distingué de la ville — et ma mère encore plus — tandis que, je vous l'ai dit, ce Raken en blouse de paysan avait gardé — cultivé même — son accent campagnard. J'avais neuf ans, il me semblait étrange que mon père lui marquât une sorte de déférence, que je ne lui voyais pas accorder aux gens de la terre qu'il appelait cambrousards ou croquants : ceux-là, il les gratifiait d'une bonhomie hautaine. Pourquoi cette exception ?

Pendant plusieurs années j'eus ainsi, cinq-six fois l'an, l'occasion de me familiariser avec celui que mon père appelait « monsieur Raken » gros comme le bras, tandis que mes jeunes amis, les fils du métayer, du charpentier, du maréchal-ferrant, l'appelaient déjà, eux, « le père Raken ». Ainsi l'appelais-je donc moi aussi — mais jamais devant mon père. Cela entretenait en moi, à l'égard du vétérinaire, des sentiments ambigus : comment vous dire ? Il m'intimidait familièrement, voilà.

Quand j'eus quinze ans, il disparut de ma vie. De notre vie, devrais-je dire : il quitta la région pour s'installer en ville, à Frédéricia. C'était — nous dit mon père — à cause de sa santé : pas de plus dur métier, plus épuisant, que celui de vétérinaire de campagne. Les distances, les grosses bêtes, le mauvais temps. Des troubles pulmonaires avaient fait redouter un début de phtisie. Soigner chez soi toutous et minets à sa mémère serait une sinécure, en comparaison.

Après quelques années, bien sûr je l'oubliai. Entre-temps j'avais fait — avec vous — mes études d'ingénieur ; ensuite j'ai un certain temps — comme vous — roulé ma bosse un peu partout ; enfin j'ai pris à Copenhague la direction des usines Sörensen, verrerie et porcelaine. Je vis en ville toute l'année, sauf au mois d'août que je passe dans la maison héritée de mon père, à Lillihamsteraalborg — quand je ne préfère pas un séjour à Salzbourg ou à Venise. Mais enfin il est rare que je ne passe pas dans mon village d'enfance au moins quelques semaines.

Bien entendu, on m'a maintes fois sollicité pour poser ma candidature aux élections municipales. L'on aurait même bien voulu que je prisse la mairie. Mon père l'avait tenue plus de trente-cinq années. Mais je fis remarquer qu'il habitait Lilli à demeure, tandis que l'on ne m'y voyait qu'aux vacances. On n'insista pas trop et l'on choisit en fin de compte, comme c'était naturel, le plus gros cultivateur du coin — le plus gros de toutes les manières : ses champs étaient les plus vastes et son tour de taille, sans atteindre l'obésité, était le plus arrondi. Simplement il avait un puissant appétit et tout lui « profitait ». Avec la soixantaine, cet embonpoint le gênait un peu pour respirer. Il avait le souffle court et le ton rauque. Peut-être pour cette raison, il était peu parlant. Ses réponses étaient toujours brèves et asthmatiques. Ce détail n'est pas sans importance, comme vous verrez.

Plusieurs années passèrent encore. Je finis par accepter, à force d'insistance, d'être conseiller municipal. On soumettait à mon jugement les matières difficiles. J'aidais, par exemple, à résoudre des problèmes de voirie. On me faisait présider les distributions de prix. Bien que rarement présent, je devins, en un mot, une notabilité de Lillihamsteraalborg.

Certain mois de juillet que je distribuais ces prix aux écoliers, je remarquai, au premier rang de l'assistance, un visage nouveau, mais pourtant familier. Je ne l'identifiai pas immédiatement. Cette moustache cependant, plus haute d'un côté que de l'autre... Et cette rouge cicatrice, de la pommette au menton... Et cette blouse de paysan... Evocation familière mais lointaine, vaporeuse, émergeant du brouillard de l'enfance... Enfin le nom me revint avec le personnage : Raken, le vétérinaire. Il était donc de retour — mais dans quel état ! Quel terrible vieillissement ! Avait-il été si malade ? Entre deux prix je posai la question à mon voisin. « Mais non, dit-il. Seulement savez-vous l'âge qu'il a, le père Raken ? Il va sur ses quatre-vingt-trois. »

Je fis le calcul : J'avais neuf ans quand il m'avait demandé le chemin de « Lillihamster-et-quelque-chose » ; vingt-deux ans s'étaient donc écoulés depuis notre première rencontre. Il m'avait paru alors, certes, plus âgé que mon père ; mais pas tellement quand même. Il était de ces hommes qui passent la soixantaine dans toute la vigueur de leur maturité. Son poil roux flamboyant, la lumière de ses yeux vifs, sa tenue râblée en selle, tout avait conservé une verdeur pleine de sève. Tandis que j'avais devant moi un vieillard sans doute encore de bon aspect, « bien conservé » comme disent les gens ; mais un tantinet tassé sur lui-même, aux joues à la fois creuses et tombantes, à la moustache d'un blanc jaunâtre sur des lèvres gercées, presque bleues. La cicatrice n'avait point pâli : aussi longue qu'autrefois et coupant à angle droit des rides pâles, un peu grisâtres. Le front s'était largement dégarni sous les cheveux blancs coupés ras ; lesquels, en s'éclaircissant, avaient découvert à la limite du crâne une tache de vin en forme de coquille — de toute petite coquille Saint-Jacques. Tous ces détails de son aspect ne sont pas non plus sans importance.

J'allai le trouver après la cérémonie. Il ne m'avait pas reconnu bien sûr — un homme dans la trentaine ne peut guère rappeler un gamin de neuf ans. M'étant présenté, je vis ses yeux s'humidifier, comme il arrive souvent aux vieillards. « Le petit Sophus ! » dit-il en me prenant la main et en la gardant dans les siennes. « J'avais la plus grrande estime pourr votrre père », déclara-t-il avec son accent de terroir. Je lui demandai s'il était de passage. Il dit que non, qu'il avait prris sa rretrraite à Lilli parrce qu'il avait toujourrs eu des attaches dans ce village et désirait y terrminer ses jourrs. Nous ne pûmes converser très longtemps, on m'appelait pour saluer les parents des jeunes lauréats et je le quittai tandis que, appuyé sur sa grosse canne noueuse, à la fois fier et droit et un peu pitoyable, le secouait une petite toux sèche qui ne me parut pas de bon augure.

Je me trompais, heureusement : le père Raken vécut encore maintes et une années et je le rencontrai souvent, aux vacances. Nous parlions de mon père. De moi, de lui, de son métier. Il racontait mille anecdotes, que son accent comme sa blouse de paysan rendaient plus juteuses encore. L'histoire du coq homosexuel qui n'aimait pas les poules. Celle de la vieille qui voulait lui faire coudre le cul de sa bique, une voisine l'ayant persuadée qu'ainsi elle aurait de plus gros chevreaux. Celle surtout — la meilleure — du bonhomme dont la vache, ne pouvant pas vêler, était en train de crever de vains efforts et d'épuisement. Appelé en dernier recours, le père Raken l'avait examinée et murmuré : « C'est un siège. » Tandis qu'il préparait les forceps, il avait entendu sortir une vieille et dire aux voisins assemblés dans la cour : « C'est un singe ! » Raken n'avait réagi que par un rire et il avait eu tort : le bruit courut et prospéra, un singe ne pouvait qu'être le fruit d'un commerce coupable de la vache avec son maître et jamais le bonhomme ne put se blanchir de cette accusation.

Je riais, mais j'admirais : de ces divers récits, ce qui ressortait surtout, c'était une vie de chien et un dévouement sans limite. Galopant sur les routes par tous les temps, à toutes les heures du jour et de la nuit. Il disait que l'exercice et le grand air l'avaient longtemps maintenu en forme puis, lorsqu'il eut passé la soixantaine, subitement abattu. C'est à ce moment qu'après avoir failli claquer d'abord de pneumonie il était parti de justesse soigner à Frédéricia les chats et les roquets.

Mais ce métier en chambre, cette clientèle de petits messieurs et de vieilles dames l'avaient promptement rebuté. Le grand air lui manquait, les chevaux, les cochons, les bœufs et le commerce des paysans. Alors il avait acheté une ferme et s'était livré lui-même à l'élevage, avec assez de succès pendant quinze ans pour s'assurer une vieillesse confortable. Il avait pris sa retraite à Lillihamsteraalborg, acheté un peu de terrain et, malgré son âge avancé, continué de faire — au ralenti — un peu d'élevage et de culture. « Toujourrs été un homme de la terrre », disait-il — et l'on ne pouvait, en effet, en douter. Il était le premier à rire — d'un bon rire franc et gras — de ses propres histoires et la coquille Saint-Jacques de sa tache de vin rougissait, violaçait, ses moustaches frétillaient, découvrant des dents restées étrangement saines dans ce visage un peu délabré.

Je l'aimais bien et l'estimais beaucoup.

J'avais donc grand plaisir à le revoir chaque année, assis au premier rang pour la distribution des prix, suivant mon petit discours avec attention. Ce n'est que beaucoup plus tard, — après sa mort — que je m'avisai qu'il ne m'avait jamais prié chez lui. Nous nous retrouvions à l'auberge, ou bien chez moi, ou bien à la mairie. Tout notable que je fusse, les paysans en général m'invitaient rarement à la ferme, soit que je les intimidasse, soit que les retint un sentiment protocolaire de préséance. Je ne m'interrogeai donc pas sur la réserve du père Raken : il faisait comme les autres — sans avoir (mais je n'y songeai pas) les mêmes raisons. Le seul homme à me recevoir à dîner était le gros bourgmestre, les grandes affaires sérieuses se traitant à table mieux que partout ailleurs.

Et c'est ainsi qu'un soir, tandis qu'une vieille à bonnet nous présentait un faisan aux raisins, il dit soudain, de sa voix essoufflée (je revenais de Copenhague) : « Oh ! vous savez la nouvelle ?

— Non, laquelle ?

— Le père Raken...

— Eh bien ?

— Mort avant-hier. N'en dites rien. »

D'abord je ne pris pas garde à ce dernier conseil, trop surpris et secoué, trop chagriné que j'étais par cette mort sinon imprévue, du moins inattendue.

« Il avait quel âge ?

— Quatre-vingt-neuf.

— Je l'aurais cru plus jeune. Mais pourquoi n'en rien dire ? » m'étonnai-je en pensant tardivement à ces derniers mots. Le gros homme éclata d'un gros rire asthmatique : « Vous verrez bien ! » Il ne pouvait s'interrompre de rire, ce que je ne trouvai pas fort amical pour le pauvre défunt.

D'ailleurs « *vous verrez bien* »... ce n'était pas non plus une prévision juste : car ce qu'il m'annonçait ainsi à mots couverts, je ne le vis pas de mes yeux. Tout me fut raconté. Mais — - comme toujours dans un petit village — en long, en large et dans tous les détails. Pour commencer, c'est ainsi que j'appris, à ma stupéfaction, que le défunt était marié. Jamais l'ancien vétérinaire ne m'avait parlé d'une compagne ! La cachait-il ? Et ne m'avait-il jamais prié chez lui pour n'avoir pas à me montrer sa femme ? La suite m'en persuada : la façon dont se comporta l'épouse inconsolable. Le vieil homme était mort — on le savait très malade — au beau milieu de la moisson. Et si la veuve avait sollicité la discrétion du maire, demandé que cette mort restât secrète encore deux ou trois jours, c'était afin de pouvoir continuer à diriger les moissonneurs sans que personne s'en offusquât, le temps qu'ils achevassent de faucher, d'engerber et de battre. Les affaires sont les affaires et une moisson ne peut pas attendre. Et ce n'était pas tout. Car une fois la récolte engrangée, la coutume voulait que les hommes fussent réunis dans un grand repas d'adieu. Et c'est seulement quand tout le monde fut autour de la table qu'on entendit la mère Raken dévaler l'escalier en poussant de grands cris. « Le père Raken est mort ! Le père Raken est mort ! »

Il y avait cinq jours qu'il était mort mais elle n'en sanglotait pas moins à perdre haleine, le visage dans son tablier. Tout le monde l'entoura, on la réconfortait, et puis — comment faire autrement ? On ne pouvait quand même pas se goberger dans la maison d'un trépassé — tout le monde s'en alla, silencieusement, sans avoir touché même aux hors-d'œuvre.

Et ainsi, les victuailles préparées pour le banquet de la moisson seraient servies intactes — *thrift ! thrift ! Horatio* — au repas des funérailles.

Merveilleuse mère Raken ! C'est elle aussi qui dit, d'un ton comminatoire, aux croquemorts descendant le cercueil par l'étroit escalier : « Gare à mes murs ! le papier est tout neuf. » C'est elle encore (mais j'anticipe un peu) qui après les obsèques, pendant le fameux repas des funérailles — considérant la table où les convives, échauffés par les mets et les vins, après un premier temps de silence grave et triste, avaient repris des conversations progressivement plus animées — allait me glisser fièrement à l'oreille : « C'est gentil n'est-ce pas ? On dirait une petite noce »...

Je commençais à comprendre pourquoi le pauvre père Raken s'était montré si peu pressé de me faire rencontrer cette affligeante avare.

Mais c'est avant ce repas, c'est au cimetière, devant la tombe ouverte, que s'était produite la chose extraordinaire.

Le gros maire m'avait dit : « C'est vous qui ferez le discours, bien entendu. » J'avais accepté volontiers. Je devais bien ça au père Raken. Comme je sais mal improviser, j'avais écrit mon allocution. Je sais assez bien, ensuite, parler sans avoir l'air de lire. J'avais donc mon papier en main, le maire avait fait dresser une sorte de petite tribune et nous étions, en attendant, assis côte à côte sur les fauteuils de la mairie, une douzaine de conseillers en noir de part et d'autre. Devant nous, à nos pieds, tout le village ou presque était présent.

Un peu sur le côté il y avait la fosse — et l'on venait de poser le cercueil auprès, sur des tréteaux — et il me parut de forme un peu bizarre — le prêtre se préparait à officier — quand là, écoutez-moi bien, oui, là, au premier rang, attentif comme d'habitude, en blouse de paysan et appuyé sur sa canne noueuse, que vis-je ? Le mort. Le père Raken.

Vous imaginez mon saisissement. Je crus d'abord avoir la berlue. Puis je soupçonnai une ressemblance. Mais le doute n'était pas permis : les moustaches, la cicatrice de la jument, la tache de vin en forme de coquille : c'était le père Raken et personne d'autre. Le plus étrange, c'était que personne ne semblait surpris. Comme si, invisible, on ne le voyait pas.

Une angoisse me prit : aurais-je fait quelque sinistre erreur ? Le mort qu'on enterrait, ne serait-ce pas le père Raken ? Mais alors, qui était-ce ? Et mon discours à moi, c'était l'éloge du père Raken ! Je ne pouvais pourtant pas lire devant le père Raken sa propre oraison funèbre, alors qu'il était là, devant moi, posant sur moi ses yeux affectueux !

Le prêtre psalmodiait, je tentai de reprendre mes esprits, me penchai vers le maire, cherchant mes mots — mais comment lui poser une pareille question ? « Dites-moi... hm... celui qu'on enterre aujourd'hui... et dont je vais parler... c'est bien, je ne me trompe pas... hm... dites-moi...

— C'est le père Raken » dit-il de sa voix d'asthmatique ; et il n'ajouta rien ; je le sentis seulement légèrement surpris.

Quant à moi... Le prêtre psalmodiait, je regardais la fosse, et le cercueil un peu bizarre, et la foule assemblée — et là, au premier rang, le père Raken appuyé sur sa canne, et que personne ne semblait voir.

Je n'ai pas peur des fantômes mais, quand même, jusqu'à ce jour je n'avais jamais eu à faire un éloge funèbre en présence du mort en chair et en os ! Aussi aurais-je bien voulu pouvoir douter de ce que mes yeux voyaient ou croyaient voir. La sueur me coulait dans le dos. Le prêtre allait terminer, dans un instant il faudrait que je me lève, que je parle... Pris de panique je me penchai de nouveau vers le maire :

« Dites-moi encore hum !, je m'excuse, mais... celui-là, devant nous, en blouse bleue... ?

— En blouse bleue ?

— Oui, là, appuyé sur sa canne... »

Le maire chercha un moment des yeux.

« Où ça ? » dit-il. C'était vraiment effrayant.

« Mais là », chuchotai-je à la limite du cri, « là, entre la boulangère et le maçon ! » Le maire chercha encore et dit de sa voix rauque : « C'est le père Raken, » et je demeurai stupide.

Le prêtre traçait le signe de croix, il prononçait ses derniers mots.

« Mais celui qu'on enterre... ? m'écriai-je de nouveau dans mon extrême nervosité.

— C'est le père Raken », répéta-t-il, impatienté, comme si c'était tout naturel que nous fussions en train d'enterrer le père Raken tandis que le père Raken était là, devant nous, à écouter — et bien sûr, vous avez sans doute, vous, déjà deviné la vérité, mais moi, ému comme je l'étais, je n'avais pas le temps de réfléchir si vite.

Car le prêtre s'était tu, et le maire me poussait du coude — c'était mon tour de parler — et quand je me levai pour le faire, pour prononcer l'éloge du défunt en face du défunt lui-même, en face du défunt père Raken, là, devant nous, appuyé sur sa canne entre le boulangère et le maçon — je ne savais vraiment plus où j'en étais.

Aussi fut-ce dans le désarroi que j'entamai mon discours. Et tandis que, sous les yeux attentifs du père Raken, je disais d'une voix tremblante, balbutiante, quel homme bon et dévoué le défunt père Raken avait été durant sa vie, peu à peu mon émotion gagnait toute l'assistance, et au tout premier rang le père Raken lui-même, et lorsque j'en fus à la péroraison, tout le village était en larmes.

Et quand, ayant terminé, je vis venir vers moi, appuyé sur sa canne, le père Raken avec encore une larme pendue à sa moustache, je fus pris, je vous l'assure, de la plus grande envie de me sauver — mais de quoi aurais-je eu l'air et je ne bougeai pas et j'attendis.

Et le père Raken me tendit sa main osseuse toute couverte des taches de la vieillesse et il dit :

« Je pensais bien que ce serait mon oraison que vous feriez, mon petit, puisque vous ne connaissiez pas mon frrère ; le pauvrre, depuis qu'aprrès Husum on l'a amputé des deux jambes il ne sorrtait plus guère. Je vous remercie. Vous avez dit bien du bien de moi. »

Ce fut seulement en entendant ces mots qu'avec un soulagement intense je compris enfin, moi, l'erreur qui s'était faite, l'erreur qu'un maire trop laconique m'avait fait faire. Le comique de la situation et celui de ma méprise m'apparurent avec tant de force et de brusquerie qu'il s'en fallut d'un cheveu que je n'éclatasse de rire, ce qui aurait bien vivement blessé le digne vétérinaire. Il ne sut jamais que je l'avais pris pour un fantôme.

Mais je fus bien embarrassé quand, un ou deux ans plus tard, ce fut le tour de mon père Raken à moi de passer l'arme à gauche, à quatre-vingt-neuf ans comme son frère. Il me revint bien entendu d'en prononcer l'éloge. J'avais déjà tout dit, que pourrais-je dire encore qui ne soit pas répétitif ?

Je m'en tirai en demandant au maire plus de détail sur le frère cul-de-jatte, sur la bataille d'Husum et sur la vie en général du père Raken l'ancien. De sorte que pour l'enterrement du vétérinaire, je fis l'éloge de son aîné, forcément, de l'ancien héros d'Husum — ce qui me valut, cette fois, les remerciements larmoyants de la mère Raken tout émue. D'ailleurs c'était satisfaisant puisque, de cette façon, j'avais seulement

interverti les deux oraisons funèbres et réparé tant
bien que mal une injustice involontaire. Chacun avait
eu son lot.

Et voilà, chers amis, l'histoire du père Raken et
vous conviendrez que si j'avais eu moins de sang-
froid, si au lieu de l'attendre de pied ferme je m'étais
sauvé en croyant voir s'approcher un revenant, pour
le restant de mes jours j'aurais gardé la conviction
que j'avais eu un fantôme devant moi pendant toute
la cérémonie. Dans ce genre d'occurrence, voyez-
vous, il ne faut jamais se fier aux apparences, même
les plus robustes, jamais en croire ses propres yeux.
Voilà, du moins, la leçon que j'ai tirée et conserve de
cette aventure.

— Et tu as bien raison, dit Gunnar Svor. Et je
pourrais, moi aussi, vous en donner maint autre
exemple. Dont l'un, sans mort et sans fantôme, pour
changer un peu. Une chose néanmoins bien curieuse,
qui m'est arrivée à moi-même. Mais il se fait tard et
peut-être n'avez-vous qu'une seule envie, tous, c'est
d'aller vous coucher ?

— Mon Dieu... convint Peter Gude en bâillant.

— Il s'agit de quoi, dans ton histoire, demanda
Olof, s'il n'y a ni mort ni fantôme ?

— D'une étrange prémonition.

— De quelle sorte ?

— Une vision. Dix années en avance sur la réalité.

— Une preuve, en somme, que l'avenir est déjà
écrit dans le présent ?

— C'est ce qu'il y aurait ensuite à discuter.

Il se fit — je le sentis bien — du flottement parmi nous. C'était vrai que, moi aussi, j'avais grandement sommeil. Mais j'adore les histoires de prémonitions. L'idée que l'avenir est écrit me rassure. Il en est d'autres qu'elle terrifie. Dans les deux cas on aimerait bien savoir à quoi s'en tenir. Je dis :

— Tu seras bref ?

— Quelques minutes, dit Svor. C'est une histoire toute simple, néanmoins fort insolite.

— Eh bien alors dépêche-toi, dit Peter Gude.

Chapitre 6

Moi, dit Gunnar Svor, je suis un disciple du
Français feu Auguste Comte : je ne me fie qu'à ce que
je touche. Tous vos fantômes et compagnie, je n'en
crois pas une miette. Aussi j'adore, Sophus, ta
réjouissante histoire du père Raken, car je pense
fermement que ce qui est d'apparence fantastique
peut toujours s'expliquer sans recourir à l'extraordinaire, pour peu qu'on creuse assez profond. Tout
vient, généralement, de coïncidences, d'oublis et d'un
coup de pouce de l'imagination.

— Ça, c'est facile à dire, murmura Jens.

— C'est vrai, convint Gunnar, et plus difficile à
prouver. Il faut être modeste en toutes choses et
admettre qu'en pareille matière chacun obéit à des
sentiments, bien plus qu'à la rigueur de la pensée. Et
face à l'insolite l'un se bouchera les yeux afin de n'y
voir rien que du merveilleux, l'autre au contraire

voudra l'examiner sous tous les angles jusqu'à l'avoir ramené — même s'il n'y parvient pas — à des composantes positives, obéissant aux lois palpables de la matière. Je suis de ces derniers, comme vous savez.

Cela ne m'empêche pas, bien souvent, de douter, comme nous y invite un autre Français nommé Descartes. La plupart des erreurs de jugement viennent de ce que l'on s'est fié trop rapidement à l'évidence. Bien souvent — sinon même la plupart du temps — l'évidence apparente est trompeuse et cache une contradiction secrète. Douter, même de l'indubitable, est la meilleure des règles pour la pensée. Je m'oblige fermement à cette discipline et m'en suis toujours bien trouvé.

C'est difficile parfois ; car nous ne sommes pas les maîtres de nos sensations, ni par conséquent de nos sentiments : c'est même la contradiction la plus déroutante qui régit notre espèce. Nous sommes doués d'un outil merveilleux, le cerveau, avec lequel nous dirigeons notre pensée. Mais ce pouvoir est tributaire de nos perceptions, que le même cerveau nous impose sans demander notre avis. Ainsi nous sommes dirigés autant que nous dirigeons. De là viennent la plupart de nos erreurs et beaucoup de nos souffrances et de nos malheurs.

Mais c'est assez philosophé et venons-en aux faits. Je n'ai plus besoin d'insister sur mon caractère prosaïque, vous me reprochez assez souvent de me montrer trop terre à terre. Aussi ce qui s'est passé ce jour-là m'apparut-il extravagant. Ce n'était jamais arrivé et, je dois le dire tout de suite, ne s'est jamais reproduit depuis. Dans mon bureau d'étude, je transpirais sur un projet complexe de batteuse automotrice. Nos campagnes sont conservatrices, pour ne pas dire arriérées, je parle des plus reculées, et nombre de nos paysans battent encore leur blé au fléau. Seuls quelques gros propriétaires ont introduit sur leurs exploitations les nouvelles batteuses mécaniques, qui tournent sous l'action de locomobiles à vapeur. Le ministère de l'Agriculture m'avait demandé d'étudier un modèle de batteuse qui serait elle-même locomobile, et se déplacerait ainsi plus aisément. Je me heurtais à des problèmes d'encombrement et je suais sang et eau.

Si le calcul le plus complexe ne m'a jamais effrayé, non plus que la représentation abstraite d'un mécanisme, de la conformation des pièces, de leurs rapports mutuels dans l'espace, je ne suis pas très adroit de mes mains et c'est quand il faut porter tout cela sur la table à dessin que je commence à souffrir. Compas, règles, équerres, crayons, tire-lignes, rapporteurs, tout semble doué d'esprit malin et de perversité d'embrouille. Droites et courbes refusent de se rejoindre, je gomme, je gomme et je recommence tout. Cela va un peu mieux depuis quelques années, pour la raison que je me fais aider par des garçons plus doués que moi. Mais à l'époque je faisais tout moi-même et souvent je m'arrachais les cheveux.

Tout cela pour vous dire que, devant ma planche à dessin, dans cette confrontation avec les difficultés les moins exaltantes de ce monde de diagrammes, de coupes, de cotes, de projections verticales et horizontales, l'ambiance n'est pas aux rêveries, qu'elle y est platement technique. Rien qui soit, vous le voyez, enclin à provoquer, encore moins à débrider l'esprit de fantaisie.

Or ce jour-là — nous sommes, rappelez-vous cela, en 1861 — je viens pour la troisième fois de déchirer ma feuille, attendant que la suivante ait séché dans son cadre et soit ainsi suffisamment tendue, j'ai ouvert la croisée pour respirer l'air du dehors et je suis là, regardant devant moi, en m'efforçant de ne penser à rien afin de calmer mes nerfs, quand subitement... — mais d'abord il me faut vous décrire un peu le paysage. Devant la fenêtre il est tout simple : un mur d'usine. Un haut et long mur de brique couvert d'un vieux crépi tristement maculé par le temps et ruiné par endroits. A gauche, une porte de fer peinte dans un gris-vert devenu presque noir, à droite une fenêtre large et grillagée, aux carreaux encrassés d'une poussière quasi séculaire. Pas un brin de verdure en vue et, pour apercevoir un coin de ciel, il faut se pencher au dehors. Guère de quoi, n'est-ce pas, exciter l'imagination.

Or, étant à la fenêtre, qu'est-ce que je vois ? D'abord une sorte d'éblouissement : un trou noir, suivi d'une lumière si vive qu'elle me fait fermer les yeux. Je les rouvre — et ce que j'ai devant moi, c'est un spectacle si extraordinaire que j'en reste tétanisé.

Une plage et la mer. La plage est couverte d'hommes et la mer de navires. Des galères à deux ponts et deux rangs d'avirons, d'un modèle si ancien que je ne sais pas les identifier. Elles n'ont pas la forme élancée de nos antiques galères vikings, elles sont au contraire ventrues et presque bedonnantes. Il y en a plusieurs dizaines et je comprends qu'elles se battent les unes contre les autres. L'une d'elles, ayant rentré ses rames, cingle de son unique voile bouffant au vent (une voile carrée faite de bandes alternativement jaunes et rouges), s'élance et vient racler le flanc d'une autre de si près qu'elle en brise à la file les rangées d'avirons comme de simples allumettes. Non loin, deux autres galères se sont heurtées à l'abordage. Pont contre pont, l'on voit bondir des matelots armés de glaives et de haches. Par endroits, entre les nefs, la mer est rouge de sang. Un peu partout des corps flottent entre deux eaux, d'autres encore vivants nagent désespérément. A voir, un peu plus bas, ce qui se passe sur la plage, on comprend qu'une part de ces galères s'efforce d'empêcher l'autre de débarquer ses équipages. Quelques-uns de ceux-ci ont néanmoins pris pied sur le rivage et sont vivement attaqués, parfois refoulés jusqu'à la mer, par des formations de guerriers brandissant lances et javelots. Cadavres et blessés couvrent le sable dans un désordre si étroit et nombreux que les combattants survivants doivent les enjamber pour se porter leurs coups. Un peu plus loin, à gauche, un groupe de matelots est encerclé et succombe sous le nombre. A droite et au premier plan, si proche que sa silhouette cache une part de la scène, un officier, à demi tourné vers l'arrière, entraîne des hommes qu'on ne voit pas. Son visage, protégé par le casque, est distendu par le cri qu'il pousse. Son bras est armé d'un glaive qu'il pointe vers le lieu où il dirige sa troupe.

Peut-être avez-vous remarqué, malgré son aspect mouvementé, le côté statique de cette étrange vision. Son côté descriptif aussi. Je voyais tout cela, tout ce tohu-bohu maritime et terrestre, comme si quelque démiurge l'avait subitement figé, fixé de façon immuable comme des mannequins de cire. Aucun bruit, un silence parfait. Elle n'a duré, cette vision, que quelques instants. Suffisamment pourtant pour que tous les détails s'en impriment à jamais dans mes yeux. Si j'avais plus de talent je pourrais, encore aujourd'hui, vous la peindre, à la manière d'un tableau de bataille par Uccello ou d'un combat naval par Van der Velde.

Quelques secondes plus tard, je n'avais plus devant moi que le mur de l'usine dans toute sa désolation grisâtre. Mais j'étais interdit. La soudaineté de cette vision, ses vives couleurs, sa précision terrible me laissaient à la fois le cœur battant et angoissé. Un instant, je me demandai si j'avais entrevu le passé ou l'avenir. Je ne m'interrogeai pas longtemps : vous avez déjà compris vous-mêmes que cette voyance avait été l'image d'une scène très ancienne, remontant même sans doute à l'antiquité. Et c'était le plus surprenant : pourquoi, comment cette scène s'était-elle imposée à moi alors que, ne pensant à rien, venant humer le grand air à la fenêtre pour me calmer l'esprit, face à ce sinistre mur d'usine, aucune cause déchiffrable, aucune association d'idées n'en justifiaient l'apparition.

Longtemps je demeurai inquiet. Je n'avais jamais jusqu'alors été sujet à des hallucinations. Je pouvais bien en attribuer le surgissement subit à la fatigue, cela n'en expliquait pas l'étrange et formidable contenu. Certains détails surtout m'intriguaient, que ma seule imagination n'aurait jamais été capable d'inventer. Telle cette galère qui, toutes voiles dehors, vient manœuvrer de si près au long de la coque d'un des navires adverses qu'elle en brise toutes les rames d'un côté, ainsi le paralyse et le rendra mortellement vulnérable. Je ne suis pas marin, encore moins militaire, vous ne l'êtes pas non plus, auriez-vous pensé tout seuls à cette tactique ? Non, n'est-ce pas ? ni moi non plus. Ou tel encore ce casque de l'officier, au premier plan, qui porte riveté sous le cimier une Gorgone de bronze. Pourquoi cette Gorgone et d'où me venait-elle — d'où me revenait-elle ? C'était comme si vraiment était réapparu soudain un souvenir très ancien, effacé depuis des temps immémoriaux. Vous l'avouerai-je ? Je me demandais sérieusement si je n'avais pas vu, vécu peut-être cette scène dans une vie antérieure ; si je n'avais pas, deux mille ans plus tôt, été hoplite ou légionnaire derrière cet officier au casque à Gorgone — en un mot, si cette expérience inexplicable ne venait pas fortifier sinon prouver les théories de la métempsychose.

Pour que moi, farouche positiviste réfractaire à toute idée de survie, j'en vinsse à envisager d'avoir vécu plusieurs existences, fallait-il que ma vision m'eût donné l'impression d'une puissante réalité ! Je m'efforçais d'ironiser et je me traitai d'idiot ; mais c'était de vains efforts : le souvenir de ce champ de bataille maritime et terrestre n'était guère moins puissant que la vision elle-même. Et ma mémoire en frissonnait : j'avais certainement *vu* ce combat autrefois, j'y avais assisté, sinon peut-être participé. Impossible d'en démordre.

Ces pensées me secouaient beaucoup, mettant à rude épreuve mes certitudes naguère encore les plus ancrées. J'étais devenu inquiet, vulnérable, n'osant presque plus approcher de ma fenêtre de peur d'être sujet à de nouvelles hallucinations. Ce trouble, cette anxiété m'habitèrent plusieurs mois. Puis, rien ne survenant, je veux dire aucune vision nouvelle, plus la moindre hallucination, peu à peu celle que j'avais eue déserta mes pensées, j'y songeai de moins en moins, puis un jour plus du tout. Après quelques années ma mémoire, sans l'avoir oubliée, s'en était résolument purgée. Tout ce qui m'en restait, c'était une sorte d'incertitude tremblante concernant la survie et la métempsychose. Je n'aime pas du tout l'idée de ces vies successives, ni dans le passé ni surtout dans l'avenir. Une seule existence terrestre me semble amplement suffisante ! Je suis, grâce à ma naissance dans un milieu aisé, devenu ingénieur apprécié dans sa branche. Savoir une autre fois où je naîtrai ! Si ce ne serait pas dans une population déshéritée, moi-même promis à une misère avilissante... Je pourrais bien dans une vie future me retrouver clochard à Whitechapel ou meurt-de-faim à Bénarès.

Puis ces pensées elles-mêmes s'espacèrent, s'effacèrent. Je retrouvai, sinon la fermeté de mes certitudes, du moins une quiétude relative de l'esprit. De nouveau entièrement voué à mes projets techniques, à leur réalisation, il ne restait plus de place, dans mon activité cérébrale, pour la fantasmagorie. Tout eut bientôt repris pour moi son cours normal, je réussissais dans mon travail et progressais dans ma situation, grimpais allègrement sur l'échelle sociale. Dix ans s'écoulèrent ainsi.

Comme tout le monde, j'ai mes manies : ce que les Anglais appellent leur *hobby*. Je suis un passionné des médailles anciennes. Je fus un jour convié à Kassel, dont le musée est célèbre, pour ma spécialité : les machines à vapeur. Les chemins de fer de Hesse avaient des difficultés avec une nouvelle locomotive, dont les performances restaient inférieures aux capacités prévues. On m'avait appelé en consultation.

La collection numismatique du musée de Kassel est des plus remarquables. Je la visitai plusieurs fois. Je suis un homme méthodique et si l'on veut apprécier la qualité des tailles, on ne doit pas tenter de voir trop de pièces à la file. Pour goûter la finesse d'une incuse, celle d'une bractéale, il faut les scruter longtemps. Il faut aussi se limiter à une école avant de passer à l'autre. Après quelques visites, la disposition des salles m'était devenue familière. De temps en temps je faisais une incursion dans les galeries de peinture, ne voulant pas dédaigner quand même Rembrandt ou Vélasquez — pour une autre raison, aussi, sentimentale celle-là, que je vous dirai tout à l'heure : le souvenir d'une femme. Une fois, je m'égarai du côté des romantiques allemands. Cette école trop récente me laisse assez froid. J'allais donc faire demi-tour quand je m'arrêtai pile.

Je me sentis devenir une statue de sel. Car là, sur le mur devant moi, une toile monumentale en occupait une grande surface. Et sur cette toile, ce qui s'offrait à mes yeux sous la froide lumière de la verrière, c'était ma propre hallucination !

Le titre était : *Salamine*. Et rien n'y manquait : les galères ; celle qui toutes voiles dehors brise les avirons d'une autre ; les deux navires à l'abordage ; et les noyés et le sang sur la mer ; et sur la plage les mille guerriers aux prises, avec au premier plan, retourné et criant, l'officier sous son casque à Gorgone et pointant son glaive. Tout. Il n'y manquait pas un détail. Ce que, dix ans plus tôt, j'avais dans un instant d'hallucination vu se peindre en vives couleurs sur le mur de l'usine devant ma fenêtre, je le retrouvais là, sur ce mur de musée, peint par un homme qui signait Feuerbach. Vivement intrigué (le mot est faible) par ce tableau en tous points semblable à ma vision, je n'eus de cesse de me faire introduire auprès du conservateur, afin d'obtenir de lui toutes les informations possibles. J'appris ainsi qu'Anselme von Feuerbach était élève de Thomas Couture qui l'exerça aux grandes compositions antiques, et que ce *Salamine* était une œuvre de jeunesse ; que le duché l'avait achetée lors d'un Salon à Spire ; que le tableau était longtemps resté dans les caves du musée ; et que le nouveau conservateur enfin l'en avait sorti. Quand ? peu après sa nomination : dix ans plus tôt — en 1861 — l'année même de ma vision... ! Y avait-il eu, entre celle-ci et l'apparition du tableau sur la cimaise, quelque relation mystérieuse ?

Obscurément je le souhaitais. Car pas plus que je n'aime l'idée d'une métempsychose et de vies successives, pas plus je n'aime celle de précognition. Il ne me plairait pas de devoir admettre que le temps est réversible, ce qui remettrait en cause trop de nos certitudes, toutes celles de Newton, de Monge, d'Avogadro. Il ne me plairait pas de penser que j'avais contemplé d'avance, à Copenhague, un tableau devant lequel je ne me trouverais réellement, à Kassel, que dix ans plus tard. Je fouillai ma mémoire. Et ce que j'y trouvai, je vais le dire maintenant avec prudence.

A cette époque — celle de ma vision — j'aimais éperdument une femme. Elle était mal mariée, s'appelait Selma et n'était pas insensible à mon amour. J'eus le temps de l'aimer, mais pas celui de la

« connaître » : elle mourut quelques mois plus tard d'un accident de cheval, ce dont je fus longtemps inconsolable. Mais pendant ces mois-là je n'avais pensé qu'à elle, exacerbé dans mon désir par les relations platoniques que, épouse irréprochable, elle m'imposait comme à elle-même. Or ce fut justement cette année-là — en 1861 — que son mari l'avait emmenée avec lui en Allemagne afin d'y visiter les villes romantiques, et Kassel en particulier. D'où elle m'avait écrit — avec un éloge enthousiaste — des pages très sensibles sur le musée, en s'étendant surtout sur les Rembrandt et les Vélasquez. Raison pour laquelle d'ailleurs j'avais été curieux, ensuite, de les voir à mon tour. Ces lettres m'étaient chères car je n'avais jamais revu Selma, son accident mortel s'étant produit quelques semaines plus tard. Ainsi nous n'avions jamais pu parler des tableaux de Kassel. Le *Salamine* de Feuerbach figurait-il déjà sur la cimaise ? Je ne sais ! Mais je me dis parfois — avec prudence, comme je vous le dis en ce moment — je me dis que, peut-être... peut-être... tandis qu'à Copenhague j'avais ouvert la fenêtre pour me reposer l'esprit, un esprit où j'avais fait le vide, un tel vide que n'importe quoi pouvait s'y engouffrer... je me dis que, peut-être — pourquoi pas ? — oui, pourquoi la femme aimée n'aurait-elle pas été au même moment, dans le musée de Kassel, en train d'admirer, elle, le *Salamine* de Feuerbach — pourquoi n'aurait-elle pas souffert de ne pas m'avoir à ses côtés, de ne pouvoir, elle et moi, ensemble, jouir de cette admiration — pourquoi le souhait ardent de cette communion n'aurait-il pas été d'une puissance si aiguë qu'il pût franchir les airs depuis son âme jusqu'à la mienne... ?

Je vous étonne, n'est-ce pas ? Voilà qui ne me ressemble guère. Mais, voyez-vous, l'amour est une force bien formidable, et la mort encore plus — et je pense, Knud, à ton récit émouvant et terrible — et quand l'amour et la mort s'unissent, l'esprit le mieux cuirassé devient vulnérable. Même celui de Knud, même le mien. Comment l'amant déchiré d'une jeune morte ne guetterait-il pas les signes les plus magiques d'une union des âmes ? C'est ce que j'ai fait, étant encore la proie de la désolation, en dépit de mon esprit fort. Vous me trouverez peut-être d'une fidélité presque anormale, d'avoir pu éprouver encore cette émotion, subi encore cette désolation dix ans après la mort d'une femme que je n'avais pas même connue, au sens biblique. Vous auriez tort. J'ai rencontré des hommes de soixante ans, comblés pendant toute leur vie par les amours et le succès, et qui ne s'étaient jamais consolés d'une jeune fille aimée pendant leur adolescence. Quand une passion descend assez profond dans les caves éternelles du cœur, le temps n'y peut plus grand-chose. Et c'est pourquoi j'ai voulu croire et je me berce encore de la certitude que Selma à Kassel et moi à Copenhague nous nous aimions avec une puissance de passion assez forte pour vaincre l'espace, la distance et, malgré l'éloignement, pour vivre ensemble, au même moment, cette commune sensation, elle devant ce tableau et moi devant ma fenêtre. Oui, il m'arrive de le croire encore, disons plutôt de vouloir le croire, parce que de revivre une si belle communion je ne suis pas loin d'en éprouver une joie presque physique, celle presque d'un amour charnel. Et c'est pourquoi, dans ce combat entre mon cœur et ma raison, c'est mon cœur qui l'emporte, bien sûr, le plus souvent. Du moins...

Mais il se tut abruptement et il baissa le nez.

— Du moins ? insista Jens, pour l'aider à poursuivre...

Gunnar lui adressa un sourire pâle et mélancolique. Un sourire de triste ironie, suivi d'un soupir énorme.

— Une seconde... murmura-t-il comme une prière. Et sentant bien qu'il avait besoin de reprendre ses esprits, c'est en silence que nous nous disposâmes à la patience.

— En vérité, voyez-vous, reprit enfin Gunnar quand, avec un effort visible, il eut surmonté sa défaillance, en vérité mon cœur bat ma raison quand ma raison veut bien le laisser faire. Parce que, depuis longtemps aussi... depuis longtemps je sais fort bien que de vouloir y croire, à ce miracle de l'amour, c'est une espérance insensée, n'est-ce pas, une illusion que rien ne justifie, rien de réel, hors la douce folie d'un cœur en peine.

— Et pourquoi cela ? demanda Jens.

— Parce qu'il y a, hélas, une explication beaucoup plus simple et raisonnable.

— Oui ? dit Olof. Laquelle ?

— Un souvenir oublié, dit Gunnar. Un simple souvenir. Mais oublié, chassé. Un souvenir enfoui et qui, un jour, et inopinément, resurgit, explosif.

Sa poitrine se déchira dans un nouveau soupir, mêlé de moquerie — un soupir ricanant :

— D'abord, n'est-ce pas, il faut bien voir les faits en face. Et si je peux tenir pour établi que Selma, ma lointaine bien-aimée, a effectivement visité le musée de Kassel en 1861 ; et si j'ai même les dates de ses lettres ; je suis d'une part beaucoup moins sûr, à dix ans d'intervalle, de celle de ma vision ; sans compter que rien non plus ne prouve que le *Salamine* de Feuerbach fût, à l'époque, déjà sorti des caves : d'autant moins que, dans ses lettres, Selma n'en parle pas — ne m'en eût-elle pas, si elle l'avait tant admiré, écrit comme de Rembrandt ou de Vélasquez ?, et d'autre part, eh bien, j'ai su aussi que le tableau avait été exposé au Salon international de peinture, à Copenhague, lorsque j'étais enfant, à la fin des années quarante. Pourquoi ne l'aurais-je pas vu alors, avec effroi peut-être, en me dépêchant ensuite, comme font les enfants, d'oublier ce tableau terrible et sanglant, de le chasser de ma mémoire ? Pourquoi enfin, sur le crépi maculé du mur, devant ma fenêtre, n'aurais-je pas aperçu quelque tache de suie ou quelque égratignure, propre à me suggérer, inconsciemment, une galère, ou un casque à Gorgone, et à déclencher le surgissement brutal, avec le souvenir proscrit du tableau tout entier ? Dont la vision sera venue envahir sans obstacle le vide de mon esprit à ce moment ? Mon cœur aime beaucoup moins cette hypothèse, qui n'en flatte pas la déchirure ; mais elle est beaucoup plus satisfaisante pour ma raison. Laquelle répugne à l'idée trop magique d'une pensée, même amoureuse, volant à travers les airs de Hesse jusqu'en Danemark...

— ... ce qui est pourtant des plus possible ! dit Jens.

— Tu crois aux transmissions de pensée ? dit Gunnar Svor gravement.

— J'ai toutes les raisons d'y croire, dit Jens.

— Par exemple ? dit Knud.

— Oh ! je n'ai que l'embarras du choix. Dix fois, en entendant frapper au portail de chez moi, et n'attendant quiconque, j'ai pourtant deviné quelle personne me rendait visite.

— Sans jamais te tromper ? dit Olof.

— Non. Bien plus souvent, c'est vrai, je ne pouvais me répondre ; mais si, d'emblée, je pensais à quelqu'un, c'était bien lui.

— Coïncidences, dit Knud.

— Je peux te dire un cas où nulle coïncidence n'était croyable.

— Que l'on t'a raconté ou dont tu fus témoin ?

— Le principal acteur, dit Jens. C'était l'année dernière. Je passais à la campagne mes vacances chez mon frère, marié et père de deux jumeaux, âgés alors de cinq ou six ans, Henrik et Ludvig. Un jour, le tambour de ville annonce à tout le village qu'un prestidigitateur fera des tours le soir même, à l'auberge. J'y amène mes neveux et leur mère. On avait mis des bancs. Tous les enfants de la commune étaient au premier rang, Henrik et Ludvig parmi eux, séparés. Ma belle-sœur et moi étions plus loin, au dixième rang. C'était un piètre illusionniste, aux tours des plus médiocres, et je m'ennuyais ferme. Pour terminer, il annonça qu'il allait lire dans nos pensées. Je n'attendais, bien entendu, pour toute démonstration, que les truquages les plus ordinaires ; et pour tout amusement, que le défi à ma perspicacité : saurais-je dénicher ses trucs ?

Il commença par distribuer des enveloppes, disant d'écrire sur les papiers à l'intérieur ce que l'on désirait qu'il fît, puis de les refermer hermétiquement. J'en pris une au passage, cherchai ce qui pourrait le mieux le dérouter, à supposer que son truc lui permît de lire dans les enveloppes. Et puisque, d'évidence, il ne pouvait connaître mes neveux, et encore moins, dans cette foule, savoir que j'étais de la famille, j'écrivis sur ma feuille : *Serrer la main de Ludvig.* Pourquoi Ludvig plutôt que son jumeau Henrik ? Peu importe. Puis, pour dérouter le bonhomme plus encore, au lieu de lui rendre moi-même l'enveloppe, je la lui fis remettre par ma belle-sœur, qui ne savait rien, et j'attendis.

Ayant mis en pile les enveloppes sur sa table, le

magicien prit la première, la tâta un instant et s'en
fut, aux rires et aux applaudissements de l'assistance,
tout droit embrasser un gendarme : c'était bien ce
qu'avait écrit une fermière réjouie. Une autre
enveloppe : il enleva ses chaussures. Une troisième :
il fit les pieds au mur. La salle exultait. A la dixième
enveloppe, je n'avais toujours pas découvert
comment il s'y prenait pour en lire l'intérieur — mais
en revanche m'amusais fort qu'il parût éviter la
mienne, comme c'était prévisible.

Elles allaient toutes enfin être épuisées, il venait,
déclenchant l'enthousiasme de se coiffer avec le
chapeau à fleurs d'une vieille dame quand, prenant la
dernière enveloppe et la tâtant quelques instants, il se
tourna vers moi. Vers *moi*, mon cher, et non vers ma
belle-sœur. Il sourit, hocha la tête, puis dit avec
quelque ironie : « Hé ! monsieur... Serrer la main...
serrer la main... c'est bien joli ; mais c'est qu'ils sont
deux, ces petiots ! » Alors il parcourut des yeux la
rangée des enfants — ils étaient au moins trente — et
sans hésitation s'avança vers Ludvig et lui serra la
main.

On me dira ce qu'on voudra, je ne peux concevoir
aucun truquage dans cette affaire. A supposer que cet
homme eût un moyen de lire ce que j'avais écrit, il ne
pouvait savoir que ce nom de Ludvig ne désignait pas
le facteur ou l'aubergiste ou le garde champêtre, mais
l'un parmi cette ribambelle d'enfants et, de surcroît,
jumeau d'Henrik et tout semblable à lui. Un truc
pour deviner tout cela me semble hors de question.

Seule une lecture parfaitement claire de ma pensée peut expliquer ce geste.

— Allons, allons, dit Knud, ne sois pas si crédule. Ces gens-là ont des trucs étonnants qu'ils se passent de père en fils. Et ton histoire d'enveloppe...

— Mais ce n'est rien, l'enveloppe ! Supposons même que je l'eusse invité, cet homme, à serrer la main de Ludvig à haute et intelligible voix ! Mets-toi à sa place, mon vieux : un inconnu t'enjoint d'aller saluer Népomucène. Qui est Népomucène, dans cette foule ? Qu'en pourrais-tu savoir ? Si même tu devines qu'il s'agit d'un de ses enfants, comment sauras-tu le distinguer des trente autres marmots ? De son propre jumeau ? Non : pour résoudre, en un instant, toutes ces inconnues, aucun artifice n'est concevable. Il y a des mois que je retourne l'histoire dans tous les sens et j'en reste persuadé : il y a eu vraiment transmission de pensée. Par un homme — au reste assez mauvais prestidigitateur — qui avait su cultiver ce don.

Et c'est pourquoi, Gunnar, de toutes les solutions qui se proposent pour résoudre ton énigme du *Salamine*, moi je penche résolument pour celle de l'amour vainqueur de la distance — pour celle de la vision partagée cœur à cœur.

— Merci, dit doucement Gunnar Svor.

— *Nonsense*, dit Knud.

— Il y a plus de choses, Horatio, dans le ciel et sur terre... dit Peter Gude sentencieusement.

— Toujours à citer Shakespeare, ironisa Sophus. Malgré ta mère prussienne, on te prendrait pour un Anglais d'Oxford. »

Nous rîmes pour nous détendre et, cette fois, nous montâmes dans nos chambres pour un sommeil réparateur, à l'abri des fantômes sinon des cauchemars ou des terreurs nocturnes.

Chapitre 7

Mais moi, enfin, moi, qui de toute la soiré n'avais pas pu placer un mot, ma voix d'un timbre un peu sourd étant de celles que les gens n'écoutent pas, je pus m'en donner à cœur joie, seul au lit, pour discuter les points de vue des autres sur tout ce que nous venions d'entendre et pour leur imposer les miens.

J'eus quelque mal à m'endormir, remâchant dans le demi-sommeil les objections, les hypothèses, les arguments au moyen desquels, le lendemain au réveil, j'obligerais Niels, Olof, Knud et leurs amis à reconnaître leurs erreurs, et à souscrire à mes raisons. Dans le noir de la nuit, certaines de mes idées me parurent si ingénieuses, parfois même géniales, que j'aurais voulu me lever pour les noter ; mais d'autres trop rapides et plus géniales encore les bousculaient, m'entraînaient dans une euphorie un peu délirante,

accompagnée d'images de gens et de lieux d'abord
confus, puis qui finirent par se fixer plus ou moins
sur mes voisins à Copenhague, sur ma maison, ma
rue, avec cette différence, comme il est constant dans
les rêves, que cela n'avait rien de commun avec la
réalité et que j'étais surpris, un peu, de les retrouver
si diminués, si villageois. Il y avait une petite église
avec, derrière et un peu cachée, une maison
comportant un seul étage, toute blanchie de chaux
autour des volets bleus. Je connaissais bien cette
maison-là, me souvenant d'être souvent passé devant
elle où j'apercevais, presque toujours, un visage flou
et vague derrière une vitre. Je n'aime pas les récits de
rêves, dans les livres : ce qu'on se rappelle au réveil
est faux, évanescent, on ne peut s'empêcher d'y
mettre une logique qui en distord la nature même.
Ou bien encore on ajoute à l'inverse, pour faire plus
authentique, de laborieuses extravagances qui
sonnent si affectées et littéraires que c'en devient
insupportable. Il me faut bien, ici, pourtant, raconter
mon rêve ; le peu du moins dont je me souviens, mais
de façon vivace. J'étais sorti de la ville et j'en
traversais une autre, tout à fait morte. Il n'en restait
que de hauts murs d'immeubles qu'une catastrophe
avait incendiés. Un désert de carcasses étroites,
funèbres, aux fenêtres vides et noires comme des yeux
crevés. Je me hâtais pour retrouver l'air libre, la
campagne, intrigué par le pas d'un cheval, invisible,
dans une autre rue. Les sabots résonnaient entre les
murs. L'animal enfin parut, à peu de distance devant

moi, tout blanc de robe, très légèrement pommelé au poitrail. Il tourna un moment vers moi sa longue et brave tête de cheval, et je revois ses yeux globuleux, très noirs, qui me considéraient. Puis il se remit en marche en balançant la queue. Je le suivis, pensant à le rattraper, à l'enfourcher peut-être ; mais lorsque je m'approchais — au point que j'aurais pu compter les poils de sa croupe avec une étonnante précision — il piquait un petit trot pour garder la distance, puis se remettait au pas. Ensuite, j'oublie. Mais la prochaine image, c'est celle du même cheval, immobile, tendu, attentif : un autre cheval là-bas, dans les hautes herbes, lui faisant face. Une jeune fille le montait, plutôt même une fillette, et tout de blanc vêtue. Les deux chevaux hennirent pour se saluer, en secouant leur crinière. J'en profitai pour sauter sur le mien, qui se laissa faire et, d'un pas tranquille, me rapprocha de la jeune cavalière. Elle avait un visage radieux mais portait, en guise de chevelure, une curieuse coiffure faite de ces pousses printanières qu'on appelle des chatons — cela, bien entendu, me paraissant tout naturel. Quand je fus à peu de distance, elle fit virer son cheval avec un rire et s'enfuit au galop. Je sens encore précisément le vent de la poursuite me fouetter le visage, siffler à mes oreilles. Je riais, moi aussi. Ensuite, j'oublie encore. Et la dernière image est celle d'un promontoire, d'où l'on voit la mer ; mais je suis seul, tout seul sur mon cheval ; et l'idée qu'il va me falloir, tout seul, retourner à la ville pour y vivre enfermé dans mon bureau d'études me gonfle le cœur d'une telle nostalgie que je ne peux retenir un sanglot. Au bruit mon cheval s'effraye, se cabre, me désarçonne, je glisse, je glisse — et me réveille en larmes dans mes draps.

Pourquoi ces douces larmes ? J'aime beaucoup mon travail, mon bureau. La fillette disparue ? A peine si j'ai vu son visage. La petite ville, l'église, les volets bleus, et le visage énigmatique, derrière la vitre ? Hé oui : à l'évoquer mon cœur se serre un peu. Mais je ne sais de quoi. De quel souvenir. Peut-être... Peut-être... voilà : peut-être, dans une maison pareille, le visage doux et pâle de la demoiselle qui m'enseignait le chant, quand je venais d'avoir quinze ans. Mon tout premier amour, torturant et jamais avoué : la différence d'âge ! Et la dernière leçon, lorsqu'elle prévint ma mère, en devenant plus pâle encore, qu'elle allait se marier — avec un riche marchand... Dernière leçon pendant laquelle ni elle ni moi n'avions été capables de chanter juste. Soudain elle m'avait pris contre elle, me serrant dans ses bras à m'étouffer, et m'embrassant, m'embrassant les yeux, le cou, la bouche enfin, à me mordre les lèvres — puis s'enfuyant baignée de larmes... Nous ne l'avons plus revue et jamais je ne me suis consolé tout à fait : de ce bonheur manqué, à cause d'une chose aussi idiote qu'une date de naissance. Je crois, chez toutes les femmes que j'ai connues, n'avoir toujours cherché que cet amour perdu. Je suis encore célibataire.

Et voici, ces histoires entendues la veille... ces amours plus forts que la mort... ce songe, enfin qui réveillait la vive blessure de l'adolescence... comment celle-ci ne se serait-elle pas rouverte ? Et avec elle tout le regret de ma rieuse enfance champêtre à Sterkobing, les moutons du parrain, ma brebis personnelle, les framboises et les fraises des bois, la pêche, les grenouilles, plus tard la chasse, les chevauchées avec mon oncle le lieutenant de louveterie... Les larmes de nostalgie sont une douce volupté.

Et au creux de mon lit d'auberge, soudain je n'y tins plus. Un cheval ! Et courir la campagne ! Il faisait nuit encore, mais les premières lueurs d'une aurore prochaine commençaient de pâlir les carreaux de la fenêtre. Derrière eux, noirs sur noir, je devinais les arbres, et l'espace, et le ciel. Je me levai et m'habillai. Heureusement j'avais pris mes bottes, à tout hasard, je descendis et gagnai l'écurie où j'éveillai le palefrenier. Je lui louai un cheval. Quelques minutes plus tard, je traversais au trot le village endormi puis, dès que j'en fus sorti, lançai à travers les prés ma monture au galop. Ainsi, je poursuivais mon rêve. Au point d'être un peu surpris que le vent, loin de fouetter vivement mon visage, se contentât de le frôler, câlin, sans le moins du monde siffler à mes oreilles... Pourtant l'animal courageux était aussi rapide que mon cheval de songe. Je le sentais grisé par ce galop matinal, comme le sont toutes bêtes quand les muscles, ayant reposé une longue nuit, aspirent à se détendre et à se précipiter dans la vitesse. J'étais grisé autant que lui. Ainsi nous allions dans la joie, pulvérisant dans l'herbe une poussière de givre. Le ciel devenait rose. Au loin, de molles ondulations s'étageaient diaphanes dans la brume bleutée. Quelquefois mon cheval, d'un bond allègre, franchissait de lui-même une haie, un ruisseau. Il paraissait infatigable. Néanmoins, comme nous allions gravir un pâturage en pente, je le modérai et le mis au trot, puis au pas. Cela l'impatientait, il encensait un peu. Je le flattai de la main pour le calmer. Bientôt l'accord fut si intime entre la bête et moi qu'elle m'obéissait au moindre signe. Nous continuâmes ainsi, tantôt à toute bride et tantôt nonchalants, à nous enfoncer dans la campagne. Je respirais à pleins poumons et m'emplissais les yeux de fraîcheur, de verdure...

Depuis longtemps déjà le soleil avait paru quand le ciel se couvrit. De lourds nuages semblèrent se former sur place et ce ne fut plus qu'un temps gris et pesant. Je regardai ma montre : elle marquait dix heures. Il nous faudrait bientôt rentrer pour déjeuner. C'est alors que, m'apprêtant à rebrousser chemin, je m'aperçus que je n'avais plus la moindre idée de mon itinéraire.

Pour suivre les vallées, traverser les boqueteaux, éviter des escarpements, j'avais pas mal tourneviré. Je ne manque pas de sens de l'orientation mais, à force de détours, on finit par perdre le cap. Et le soleil se cachait obstinément, la lumière tamisée ne donnait aucune ombre, impossible d'en déduire les points cardinaux. Je n'avais pas de boussole. Je ne pouvais me fier qu'à ma chance et à mon intuition — ou à l'instinct de mon cheval pour l'écurie.

Je lui fis faire un demi-tour bien sec, pour qu'il comprît qu'on revenait au logis ; puis le laissai nous conduire à sa guise. Je commençais d'avoir faim. Ayant de nouveau regardé ma montre, elle marquait dix heures ! Depuis quand était-elle arrêtée ? Et où en étions-nous de la journée ? Je n'avais plus aucune notion ni de temps ni de lieu. Réfléchissant à la direction, le matin, que j'avais prise, je découvris qu'en la suivant tout droit assez longtemps elle m'aurait conduit à Sterkobing, ce village de mon enfance auquel j'avais rêvé cette nuit. La nostalgie m'y avait dirigé d'instinct. Faire de nouveau demi-tour ? Mais perdu comme j'étais, pas le moindre espoir d'y parvenir ! Et puis d'ailleurs, c'était beaucoup trop loin.

J'avais faim, je ne songeai pas que mon cheval avait soif. Soudain il s'arrêta, dressa les deux oreilles ; il parut humer l'air et descendit la pente au trot. Je crus qu'il venait de retrouver son chemin — mais non : dans la vallée coulait une rivière, il s'en approcha à travers les roseaux et se mit à boire goulûment. J'aurais bien fait comme lui, si l'eau n'en eût été un peu trouble à mon goût. Il n'y avait, à proximité, ni route ni chemin. Le cheval se mit à suivre le fil de la rivière, sans se presser, tête basse, vers l'aval. Je priai Dieu, sans beaucoup de confiance, que ce fût la bonne direction. Un obstacle rocheux nous obligea bientôt à obliquer. Le cheval broncha en grimpant. Il était fatigué. Je l'étais passablement aussi. Je l'attachai à un arbre au licou et m'étendis sur les feuilles mortes.

Il devait y avoir, sous les rocs, un petit rapide de la rivière car la musique de l'eau sur les écueils me plongea dans le sommeil sans tarder. Je me trouvai aussitôt dans la plus belle des grottes que j'eusse vues de ma vie : une grotte intime, sensuelle, ombreuse et chatoyante, où régnait une mousse d'un vert si tendre, d'une toison si épaisse, qu'on eût aimé à s'y vautrer. D'autres verdures d'une émeraude admirable embellissaient les roches humides et tièdes, couvraient les eaux d'une source qui, au niveau des pierres, se déployaient en mare d'un bleu profond. Je m'y désaltérais avec délice quand des gouttes lourdes et froides, dégoulinant de la voûte, me réveillèrent et je me trouvai tout marri sous une averse. Elle fut courte heureusement. Je ne savais combien de temps j'avais dormi. Cette fois le soir, sans tomber tout à fait, s'annonçait néanmoins peu lointain. J'étais remonté en selle et la bête, visiblement, allait sans but précis, se laissant simplement guider par le terrain le plus facile. J'espérais bien encore croiser une route ou apercevoir un hameau ; mais à mesure que le jour déclinait, je perdais un peu plus confiance.

J'en étais à désespérer — quand je me crus replongé au milieu de mon rêve ! Là-bas, dans la brume lointaine, mais parfaitement distinct dans les hautes herbes, un cheval monté par une femme allait paisiblement au pas. « Coïncidence », aurait dit Knud. J'y vis un signe plus mystérieux. J'aurais voulu lancer mon cheval, mais il était trop las. Je parvenais bien, à force d'éperon, à lui faire tenir le trot quelques secondes ; mais presque aussitôt il retombait au pas, le sabot lourd et incertain, et je sentis ses genoux trembler. Je compris que dans cet état de fatigue il serait dangereux de l'obliger. Tout ce que je pouvais faire, c'était de suivre à distance la cavalière, en essayant de ne pas la perdre de vue et en souhaitant de toute mon âme qu'elle ne se mît point à presser l'allure.

Heureusement elle maintenait sa cadence nonchalante, et la distance entre elle et moi restait à peu près constante. M'avait-elle aperçu ? Peut-être. A aucun moment je ne l'avais vue se retourner ; pourtant j'avais le sentiment qu'elle se savait suivie — à moins... à moins que, tout simplement, je lui prêtasse mon désir qu'elle le sût, qu'elle l'admît et en acceptât le hasard et la charge : qu'elle fût en train de me conduire — en toute conscience — vers des lieux habités, une maison peut-être où je serais reçu, où je pourrais me sustenter, dormir... La fatigue s'était si lourdement abattue sur moi, comme sur ma monture, que je n'en étais plus à très bien distinguer le rêve du désir, l'espoir de l'accomplissement, le songe de la réalité. Aussi ne fus-je pas plus surpris que cela quand — ayant pris, de loin, pour un bois plus ou moins sauvage ce qui, de près, se révéla être un parc entouré de murs ; et après que j'eus longé, à la suite de l'écuyère, cette enceinte si ancienne qu'elle était à demi ruinée — je vis la jeune femme s'arrêter et m'attendre auprès d'un vaste portail dont les battants de fer étaient ouverts comme pour nous accueillir. Ils me parurent copieusement rouillés.

Elle souriait en me voyant venir.

« Vous êtes perdu ? dit-elle — sa voix était douce et chantante.

— Hélas ! j'en ai grand-peur.

— Vous me suivez depuis longtemps ?

— Je ne sais plus. Je suis si las que j'ai dû dormir plus d'une fois sur mon cheval.

— Il n'a pas l'air beaucoup moins las que vous.

— C'est ce que je crains aussi.

— D'où veniez-vous ? demanda-t-elle et, ce disant, elle avait remis son cheval au pas et me précédait sur une allée couverte de feuilles mortes.

— D'une auberge de campagne non loin de Copenhague, à l'enseigne du *Vieux Kastrup*.

— Je la connais. Vous lui tourniez le dos.

— En suis-je loin ?

— Trop loin pour songer maintenant à la rejoindre avant la nuit. »

Seulement alors je m'aperçus que, dans ma lassitude, je la suivais sans y avoir été convié. J'arrêtai mon cheval. Elle arrêta le sien.

« Y a-t-il une auberge près d'ici ? m'enquis-je sans conviction aucune.

— Hé ! non... dit-elle avec un rire. Tout juste un relais de poste mais qui ne fournit que les chevaux — ni le lit ni la soupe.

— Peut-être qu'ils me prendront quand même ?

— Sûrement pas. Eh bien ! dit-elle avec le même rire, mon père va être obligé, pour cette nuit, de vous loger chez nous.

— Sans me connaître ? protestai-je — bien mollement, à vrai dire.

— Allons ! dit-elle. Vous savez bien que l'hospitalité est de règle en Danemark. Et mon père est l'homme le plus hospitalier du monde. Vous vous présenterez à lui.

— Mais votre mère ? que dira-t-elle ?

— Elle est morte, dit-elle tristement, quand j'étais petite fille. »

Nous avancions dans le crissement froissé, le frottement cassant des feuilles sèches. Mon cheval dormait en marchant. A chaque instant je devais tirer sur le mors pour l'empêcher de trébucher. Je dormais presque autant que lui. Devant moi, au pas de sa monture, le buste de mon amazone ondulait sous l'ombre épaisse des grands ormes. Elle ne portait pas de veste, seulement une blouse légère et bouffante, aux manches vaporeuses. La nuque en jaillissait, frêle et blonde, sous une chevelure coiffée en casque. Je n'avais aperçu le visage que quelques instants. Il m'avait paru beau. J'étais trop abruti pour en avoir enregistré les traits.

Entre les arbres est apparue une maison de pierre

blanche. Elle était précédée d'un perron, une douzaine de marches en fer à cheval, aux degrés usés par le temps, que bordaient des balustres rongés de lichen. Les fenêtres, derrière la longue terrasse, brillaient dans le crépuscule d'une lumière tremblante. A notre approche, j'ai vu sortir et se précipiter un domestique, un peu courbé par l'âge, mais d'aspect encore vigoureux. Il a paru surpris de me voir, sans faire toutefois aucune remarque. Ayant aidé la jeune femme à descendre de son cheval, il a saisi les rênes des deux bêtes pour les amener à l'écurie. Puis nous avons monté les marches, traversé la terrasse et nous sommes entrés.

Ç'avait dû être, autrefois, une très riche demeure. De cette richesse il ne restait que des vestiges — dont bien des gens se seraient contentés, c'est vrai. Je veux dire que ce qui avait survécu à quelques revers de fortune était encore de qualité. Mais on devinait les manques — les meubles de prix dont le départ avait laissé des vides. Entre certaine somptuosité dans la décoration des murs, et la densité trop légère du mobilier, une sorte de disparité régnait. Quelque chose d'un peu désertique. Néanmoins, dans l'ensemble, le charme initial avait subsisté : privée de ses diamants, une jolie princesse a encore des atouts.

Au-delà d'une entrée longue et large — où l'absence de sièges, mis à part un récamier vieillot et avachi, m'avait frappé d'emblée — s'ouvrait une pièce en rotonde d'une élégance parfaite. Entre de minces colonnes adossées et cannelées s'ouvraient quatre fenêtres sur les arbres centenaires du parc. Des niches contenant chacune l'une des Trois Grâces, d'un marbre certainement antique, creusaient le mur entre ces fenêtres. Le plafond était en coupole et, en frise tout autour, courait une guirlande en demi-bosse de nymphes et de cupidons, dignes du ciseau d'un della Robbia. Le sol était une géométrie de marbres roses et bleus, qu'un vaste tapis circulaire afghan réchauffait de sa haute laine aux tons pourprés. Des tables basses, quelques sièges Directoire, un secrétaire de marqueterie et une vaste commode damasquinée en constituaient l'ameublement.

J'en étais à admirer, le menton levé, les nymphes de la frise dont un drapé finement galbé faisait valoir les formes, quand le vieux monsieur est entré. « Mon père », me dit la jeune fille à mi-voix. Je m'inclinai, il me tendit sa main ridée et je me présentai à lui. J'attendais qu'en retour il me dît son nom ; mais sans doute croyait-il que je l'avais appris déjà et je restai dans l'ignorance, n'osant pas poser la question moi-même. Cela d'ailleurs pouvait attendre.

Sa fille lui conta ce qu'elle savait de mon aventure. Il l'approuva chaudement de m'avoir recueilli et s'en fut chercher des alcools. Cela me réveilla et me délia la langue. Peut-être même un peu trop ; car je parlai plus que de raison au lieu de les laisser parler eux-mêmes. Du moins avais-je plaisir à voir la demoiselle comme pendue à mes lèvres. Je sus bientôt quel était son prénom, son père l'ayant appelée Laïs. Ce n'est pas là un nom de consonance danoise et, je ne sais pourquoi, j'en éprouvai du contentement. L'insolite a du charme.

Une vieille femme vint nous dire que nous étions servis et nous nous mîmes à table. C'était une table de palissandre, à l'anglaise, très longue. Nous étions donc tous trois fort écartés l'un de l'autre et, ayant la belle Laïs face à moi, à l'autre bout, je pouvais la contempler tout à mon aise sans paraître indiscret. Je ne m'en privai pas. Je ne sais plus qui a dit qu'il n'est pas de beauté vraiment exquise sans une certaine proportion d'étrangeté. Et certes, les étrangetés ne manquaient pas dans le visage lumineux de Laïs. A les décrire trop bien j'en donnerais une fausse impression. Celle de défauts, de menues laideurs, ce qui eût été le cas peut-être avec un degré de plus. Mais juste à ce degré-là, qu'on eût dit calculé, ces très légères imperfections touchaient profondément le cœur — comme peut le faire la fragilité d'un enfant maladif, les pattes trop grêles d'un agneau. On se sent envahi d'une tendresse poignante, d'un élan pathétique de protection. Quand on est pris par ces sentiments-là, l'amour n'est pas très loin. Dès la fin du dîner, j'étais sa proie.

Ce qui m'avait tout d'abord remué l'âme, c'était les yeux. Ils étaient, dans de douces paupières un peu humides, entre des cils de jais d'une longueur inusitée, d'un bleu profond, presque violet. Le regard était intense ; mais, comme un strabisme imperceptible écartait les pupilles juste un peu trop, il paraissait en même temps rêveur ; et cet alliage de rêve et d'intensité l'éclairait d'une lumière fascinante. La très légère dissymétrie en semblait soulignée par celle des sourcils, dont l'un s'élevait plus que l'autre dans l'arc très pur qu'ils dessinaient. Le nez aussi, d'un profil délicat, discrètement aquilin, aux narines frémissantes, s'écartait d'un soupçon de la verticale. Le menton, d'une grâce à la fois majestueuse et libre, les lèvres dont la supérieure, juste un peu relevée, semblait reposer sur la rondeur charnue, voluptueuse de l'inférieure, accentuaient cette menue déviation du visage, cette très légère obliquité. Sans elle, ç'aurait été des traits d'un galbe certainement plus classique, d'une pureté plus hellénique — mais combien moins touchants !

Bien souvent, j'ai pensé que l'amour s'accroche plus solidement au défaut d'une beauté qu'à sa perfection. Peut-être parce que, ce défaut, c'est ce qui est vraiment le propre de cette beauté-là, et non celui d'une autre, son signe réellement distinctif, individuel — tandis que l'absence de toute impureté n'est que la perfection du moule, ce qu'il y a de plus général, de plus impersonnel dans la beauté. Et puis, je le répète, ce léger manque, cette légère déficience de l'accompli, c'en est comme une blessure, une mutilation, dont cette beauté doit souffrir, et plus encore la personne qui la porte. D'où la tendresse, l'attirance qu'on éprouve pour cette étrangeté, cette défaillance. En tout cas, c'est ce sentiment-là que j'éprouvais, moi, à découvrir sur le visage de Laïs la très légère dissymétrie qui paraissait trahir une harmonie radieuse.

Oui, j'aimais avec adoration cet œil minusculement dévié, ce nez et ce menton imparfaitement perpendiculaires au front qui était, lui, d'une pureté parfaite sous l'ombre de la chevelure en casque, d'un blond ardent. Il y avait aussi, dans la voix de Laïs, dans sa voix musicale et doucement timbrée, une légère faille qui, sur certaines consonnes, brisait brusquement cette douceur par une sorte de discordance étouffée, un peu rauque — une sorte de faux pas vocal —, qui chaque fois me pinçait le cœur. Elle avait peu parlé pendant le dîner, préférant m'écouter narrer mes aventures. Néanmoins, j'appris que mon hôte habitait cette maison — si j'ose dire — de père en fils, depuis son arrière-arrière-grand-père ; tous charbonniers depuis toujours, en ce sens que tout le domaine n'était qu'une forêt, qu'il exploitait en charbon de bois pour fournir la moitié du Danemark. Malheureusement le charbon de terre lui faisait, depuis peu, une concurrence ruineuse — de là, pensai-je, le déclin visible de cette maison... Nous avions rejoint entre-temps l'intimité plus chaude d'un boudoir, puis — après un cigare de Havane et une exquise liqueur de prune et de genièvre — m'ayant souri aimablement dans sa courte barbe blanche le vieil homme s'était excusé des fatigues de son âge et avait pris congé, me laissant seul avec sa fille. Je fus touché de cette confiance.

C'est alors seulement qu'elle dit : « Vous ne me reconnaissez pas. »

Elle le dit sans la moindre nuance d'amertume ou de reproche. Avec, tout au contraire, la gentillesse la plus souriante. Je demeurai stupide. Quoi ! depuis une heure au moins je brûlais pour elle d'un amour de plus en plus envahissant — et voilà qu'elle m'apprenait que j'aurais dû la *reconnaître* ! Il y avait tout juste une pointe d'ironie dans son sourire ; mais c'était, j'en suis sûr, à cause de cette confusion que je ne pouvais cacher, et sous laquelle la jeune fille peut-être devinait des sentiments plus vifs. Que répondre à une femme qui vous dit que vous ne la reconnaissez pas, quand effectivement vous croyez la voir pour la première fois — et êtes tombé amoureux d'elle ! C'est, pendant quelques secondes, une situation épouvantable. Après m'y avoir laissé patauger un instant, elle vint généreusement à mon secours.

« Mais vous ne pouviez pas, dit-elle. Me reconnaître. J'étais une petite fille. Vous ne m'avez jamais regardée.

— Une petite fille ?

— Il y a bien des années. Vous étiez déjà, vous, un grand jeune homme. Oh ! je me rappelle très bien. J'étais toute petite. Mais je passais ma vie à la fenêtre dans l'espoir de vous voir passer.

— Moi ? Est-ce possible ! Où était-ce ?

— A Sterkobing. Où aurait-ce pu être ? »

C'est le lointain village de mon enfance, celui où je fus élevé. J'étais trop surpris pour m'étonner de tout

à la fois : et qu'elle eût habité Sterkobing alors que —
de père en fils — son père habitait ici ; et que j'eusse
justement rencontré, au cœur d'une campagne
étrangère où j'errais, égaré, une fille qui m'avait
connu dans le village où je suis né ; et qu'elle m'eût,
sans autre motif que l'obligeance, recueilli dans la
maison de son père ; et que je fusse tombé tout de
suite amoureux d'elle ! « Coïncidences », aurait dit
Knud. Mais moi, comme un peu plus tôt, j'y voyais
des signes plus mystérieux — plus imprégnés des
mystères de l'amour.

« Racontez ! m'écriai-je — je me sentais trembler
d'émoi.

— Vous habitiez *la Maison Rose*. N'est-ce pas ?
Votre père était directeur d'école. Nous habitions *la
Maison Bleue*...

— Pourquoi « la maison rose » ? Nos murs étaient
tout blancs, peints à la chaux, comme toutes les
autres maisons.

— Mais elle avait des volets roses ; la nôtre, des
volets bleus ; c'est pourquoi je les appelais ainsi.
J'allais à l'école de votre père, en première année —
on ne le voyait presque jamais, nous le craignions
toutes d'autant plus — et vous étiez son fils, et en
dernière année, et son prestige rejaillissait sur vous, et
je ne songeais tout le jour qu'à vous voir passer. »

Le cœur battant, je tentais de rappeler mes
souvenirs :

« La maison bleue »...

« Chaque jour, vous passiez devant, mais elle était

un peu cachée, derrière l'église. J'y vivais avec ma tante, parce que...

— Vous n'habitiez pas ici avec votre père ?

— Non. D'abord maman est morte, et puis le plus proche village, dans ce pays, est à une lieue, plutôt même un hameau, et il n'y a pas d'école. Alors mon père m'a envoyée chez ma tante Paméla, une sœur aînée de ma mère. Je ne revenais qu'aux vacances. C'est tout.

— Non, non, racontez, racontez ! (Je voulais tout savoir d'elle.)

— Mais quoi donc ?

— Votre père, votre tante, tout !

— Mon père, vous l'avez vu, c'est un vieil homme maintenant. Il m'adore, je l'adore mais, en somme, nous nous sommes peu connus. C'est ma tante Paméla qui m'a entièrement élevée.

— Alors racontez-la aussi.

— Elle était veuve, pas très riche, peignait à l'aquarelle et jouait du piano mais, surtout, surtout elle me racontait des histoires, belles et enflammées, presque toujours des histoires d'amour. C'est peut-être ce qui m'a embrasé l'esprit, toute jeune que j'étais. Je voulais, moi aussi, être amoureuse. Alors vous êtes passé devant ma fenêtre et je vous ai tout de suite aimé. »

Cette simplicité dans la candeur — dans la franchise — m'exaltait à la fois et me pétrifiait ; retenait, je veux dire, ma propre exaltation, les paroles qui me brûlaient la gorge et tout ce que je réussis à dire ce fut, bêtement, que c'était touchant et que j'étais touché — et déjà je me mordais les lèvres d'une bêtise si balourde, je me serais battu, mais elle disait, gravement :

« Vous savez, un amour de petite fille, il ne faut pas en rire. Même pas en sourire. L'amour, dans un cœur d'enfant, peut se montrer d'une violence incroyable. Moi, je guettais des heures. Seulement pour vous voir passer. Et après, sachant qu'il faudrait attendre le lendemain pour vous revoir, je pleurais d'impatience, de désespoir, mordais et déchirais de rage mon mouchoir. Si je vous avais vu un jour au bras d'une femme, je crois que je me serais tuée. Je ne sais quelles aventures vous avez eues dans votre vie. Mais je puis vous assurer ceci : aucune femme n'aura pu vous aimer aussi fort que cette petite fille. »

Ces derniers mots — et le calme étonnant, presque froid, avec lequel ils étaient prononcés — me plongèrent dans un abîme autant d'effroi que d'espérance : qu'avait-elle voulu dire ? Qu'elle n'était plus une petite fille et que, maintenant, il me fallait, ou qu'il ne me fallait pas croire que, devenue femme...

« Et maintenant ? » m'écriai-je, et la peur m'empêchait de tendre les bras, si déjà mes mains s'ouvraient d'ardeur, d'impatience — et je me disais follement que si elle répondait oui j'en pourrais bien mourir de bonheur trop violent ; mais que si elle répondait non j'irais reprendre immédiatement mon cheval, me jetterais dans la nuit et me précipiterais dans la première rivière venue. J'avais perdu toute mesure.

Mais elle ne dit ni oui ni non : « Je viens seulement de vous retrouver », murmura-t-elle doucement et, par ces mots, me ramena sur terre. Et je ne sus que faire . tenter de la prendre entre mes bras ou retomber simplement sur mon siège, ou au contraire esquisser vers le sien un transfert audacieux — et une fois encore, ce fut elle qui me tira d'embarras : m'ayant tendu la main, et s'étant rencoignée un peu sur le sofa, elle me fit asseoir à son côté. Elle avait refermé ses doigts sur les miens.

« J'ai souhaité, attendu cette rencontre des années, reprit-elle du même ton murmuré. Oh ! de si longues années ! Parce que, dit-elle plus vivement, ne croyez pas que, cette rencontre, je ne l'espérasse que du hasard. Non, non, j'étais bien résolue, un jour, à la provoquer. Et je l'aurais fait beaucoup plus tôt si la vie... » Etrangement, elle buta sur ce mot, et sa voix eut un de ces faux pas, assourdis et rauques, qui me touchaient tellement. « ... Si la vie, reprit-elle, si la *vie* ne m'en avait empêchée... »

J'aurais voulu demander quoi et comment, mais j'étais trop troublé, paralysé d'émoi et de bonheur, et plus encore d'émoi et d'appréhension, tout ce discours ne m'éclairant toujours pas, car à quelle conclusion conduisait-il ? J'avais la gorge sèche, le gosier contracté et je n'aurais pu prononcer un mot.

Comme une réponse à ce tourment, elle me prit les deux mains et, me regardant au fond des yeux, elle dit d'une voix pensive : « Comment savoir si je vous aime ? Non plus le grand adolescent passant devant ma fenêtre, celui que je n'ai jamais cessé d'aimer — mais l'autre, mais vous, l'homme de combien, trente, trente-cinq ans ? qui êtes là, sur ce sofa, que j'ai trouvé perdu avec son cheval dans cette campagne déserte et amené dans cette maison... Comment savoir si c'est le même ? »

Je me jetai à ses pieds. La parole me revint. Et même presque trop pompeuse. Je priai, suppliai la jeune fille de m'aimer. Je dis que je n'avais pas connu cette petite fille, derrière sa fenêtre, et n'avais pu, alors, lui rendre ses sentiments. Mais qu'à présent, depuis que j'étais ici, dans cette maison, depuis, disais-je, la toute première minute, l'amour c'était moi maintenant qui l'éprouvais, à en mourir, avec la force d'un présent foudroyant et la constance d'un passé très ancien. Je dis enfin que mon cœur désormais battait entre ses doigts et que, si elle le déchirait, je pouvais lui jurer une chose : je n'y survivrais pas.

Elle secoua la tête : « Non, voyez-vous, dit-elle, mon cher, mon très cher ami, à quoi l'on peut *survivre*, vous n'en avez pas idée. Vraiment non, répéta-t-elle : pas la moindre idée. Je le sais et suis en droit de vous le dire, moi qui vous parle — et parce que je suis ici, à vous parler... Ce que je dis là doit vous paraître obscur — mais *je me comprends*, comme disent les gens. Venez », dit-elle. Et, sans me lâcher les mains, elle se leva.

Je me levai aussi. Toujours gardant mes deux mains dans les siennes, elle me tint un moment encore sous son regard. J'aurais voulu oser brusquer les choses, l'étreindre, l'embrasser, mais je n'osais pas oser, j'étais paralysé et subjugué.

Elle semblait, elle, tout à fait à l'aise. Il y avait sur ses lèvres un très léger sourire, comme s'il répondait, ce sourire, à quelque pensée secrète.

« Allons, il faut », murmura-t-elle, mais c'était visiblement pour elle-même et non pour moi.

« Depuis tellement, tellement longtemps... Maintenant, il faut savoir. Oui, il faut que je sache. » Ses yeux, intenses et rêveurs, semblaient, en prononçant ces mots, plus rêveurs que jamais. J'aurais bien pu la croire, en cet instant, dans un autre monde.

Je n'osais faire un mouvement.

Elle lâcha une de mes mains, caressa, explora de ses doigts mon visage comme peut le faire une aveugle. Elle souriait toujours.

« Venez », répéta-t-elle. Elle avait conservé ma main gauche dans sa main droite et c'est ainsi que nous quittâmes le boudoir, traversâmes la salle à manger, puis la ravissante rotonde aux nymphes adorables, puis la galerie déserte aboutissant à quelques marches. Elle me les fit descendre. Une galerie moins longue tournait à angle droit. Elle ouvrir une porte. Et nous pénétrâmes dans une chambre qui, dès le premier coup d'œil, se révélait de façon si naïve être une chambre de jeune fille que c'en était attendrissant.

Elle était rose, toute blanche et rose, mais dans des tons déjà passés, comme si elle avait survécu bien des années à une petite fille morte. Mille menus objets couvraient les meubles de bois peint. Des porcelaines, des personnages, des livres aux reliures usées. Le lit protégé d'un dais faisait face à la fenêtre, ouverte sur le parc.

« Votre chambre ? demandai-je à voix basse — comme j'aurais parlé près d'un cercueil.

— Oui, quand j'étais tout enfant. Elle m'a attendu dix ans sans qu'on y touche. Je n'ai rien voulu y changer ensuite, moi non plus.

— Vous ne l'habitez pas ?

— Non. Mais c'est quand même ma chambre. C'est elle ma *vraie* chambre, elle l'est restée. C'est pourquoi je vous y amène. Embrassez-moi. »

Elle les dit, ces deux derniers mots, avec une gravité presque tragique. Je sentis sa poitrine presser la mienne, ses bras m'étreindre. En lui rendant son étreinte, j'eus l'impression très éprouvante de ne tenir dans mes bras qu'un mannequin : je la sentais roidie elle-même d'appréhension.

« Tenez-moi fort », murmura-t-elle.

Et doucement elle défit ma cravate, fit glisser ma veste. Ses mains s'égarèrent sous ma chemise. Je frissonnai et le désir, la violence du désir balaya sur-le-champ, avec ma frayeur, mes dernières timidités. Je couvris son visage, son cou, sa gorge de baisers

enflammés tandis que mes mains impatientes dégrafaient son corsage. Encore un peu roidie, elle me laissa faire puis, échangeant avec moi caressse pour caresse, baiser pour baiser, elle participa à mon entreprise, ses vêtements, son linge tombèrent à ses pieds et je la portai enfin, sans voile, sur son lit.

Et je tombai à genoux d'adoration.

La vertu d'une beauté éblouissante, c'est de dompter le désir brut sous un sentiment plus élevé. Je ne décrirai pas ici la beauté de Laïs, sa divine perfection physique. Il me semblerait commettre un sacrilège. Car elle me vouait sa nudité comme une offrande, à moi seul départie et dédiée, l'offrande de la petite fille qui m'avait aimé, de la femme qui ne savait pas si elle m'aimait encore. Je demeurai longtemps, longtemps, à genoux près du lit, à lui embrasser fiévreusement la main, le bras que, troublée, elle m'abandonnait, à contempler, dans un paroxysme d'extase, son corps admirable. Elle me laissa ainsi, souriante, la dévorer du regard. Mais à la fin, mes baisers l'agitant à son tour de frissons émus, et le désir l'envahissant comme il m'avait envahi moi-même, elle m'attira près d'elle, sur elle — je l'entendis chuchoter à mon oreille : « Tout doucement... », me faisant de cette façon comprendre qu'elle était vierge — elle poussa tout juste un petit cri, me serra contre elle à m'étouffer — et la folie la plus heureuse nous emporta. De ce que fut toute la nuit ensuite, je ne veux pas dire plus que ceci : que jamais, ni avant ni depuis, dans l'exquise douceur charnelle d'un

contact, je n'avais et je n'ai ressenti tendresse plus enveloppante, suavité plus céleste.

Quand nous fûmes recrus de bonheur et de voluptés, et tandis que Laïs reposait, alanguie et chaude, entre mes bras, je trouvai enfin le courage de lui dire : « M'aimes-tu ? » C'est une question bien sotte en général — quoique les amants ne sachent pas la taire : jamais l'autre ne répète assez qu'il ou qu'elle vous aime, il faut le lui demander sans cesse. J'avais, moi, une excuse de plus : les seules paroles d'amour que j'eusse reçues de Laïs, c'était de la part d'une petite fille. Femme, elle n'en avait encore prononcé aucune de son chef. Elle se dressa un peu, s'appuya sur un coude. Ses yeux brillaient. Je crus qu'elle allait rire — mais non. C'est avec gravité qu'elle dit — qu'elle murmura :

« Je t'aime. Laisse-moi quelque chose.

— Quelque chose ?

— Oui. Tu vas repartir Alors jusqu'à... jusqu'à ce que tu reviennes... laisse-moi, je ne sais pas, une bague, une médaille, un objet que tu portes. Cette médaille au cou, par exemple. Qu'est-ce que c'est ?

— Je l'ai reçue pour mes quinze ans. Je devais déjà la porter quand tu me regardais passer, à Sterkobing.

— Oui, dit-elle. Sûrement. Donne-la-moi. »

Je n'avais pas tout dit. Celle qui pour mes quinze ans m'avait laissé ce souvenir autour de mon cou, c'était mon professeur de chant, c'était mon tout premier et malheureux amour. Je l'avais toujours porté depuis. Serait-ce peu délicat d'en faire don, à

présent, à Laïs ? Non, non, tout au contraire. Don de
l'amour à l'amour. Je détachai le médaillon et le lui
posai, doucement, entre les seins. Elle le couvrit de sa
main, et c'est ainsi qu'elle s'endormit.

Je la contemplai longtemps puis me levai, sans
bruit, et j'allai sous la lune retrouver la chambre que
mon hôte (en s'excusant : des réparations, dans la
maison même, en interdisaient une partie) m'avait
réservée dans une annexe, d'ailleurs fort confortable.
C'était un ancien pavillon de chasse, carré, aux belles
fenêtres à la française. La pièce, unique, était tendue
sur trois côtés d'un vaste papier peint à grand paysage
représentant, comme c'était la mode vingt ans plus
tôt, les premiers trains à relier la montagne à la mer,
à travers une contrée changeante, suisse au départ,
napolitaine à l'arrivée. Des dames à ombrelles et des
messieurs en redingote emplissaient des voitures
découvertes en forme de landaus, tirées par une
locomotive dont la haute cheminée fumante se
terminait par une dentelle de fer. Après m'être amusé
à suivre ce voyage à travers des gorges, des tunnels,
des cascades, des forêts et des pâturages, je grimpai
sur le lit à trois matelas superposés et m'endormis
dans le plus grand bonheur.

Lorsque au matin la clarté m'éveilla, le soleil
frappait les carreaux. A le voir, sur le mur, moduler
d'ombres et de lumières le naïf paysage, je jugeai

que j'avais dormi bien longtemps — trop longtemps —
ce qui, il est vrai, s'expliquait. Néanmoins je
m'accordai encore quelques minutes à lézarder, la
joue sur l'oreiller, dans un état d'euphorie
paresseuse. Je pensais à Laïs, à sa nudité et à sa grâce,
à ses ardeurs, et des vagues de joie, ébranlant mon
corps alangui de frissons trop délicieux, m'en
faisaient fermer les yeux sous leur violence. Une fois,
quand je les rouvris, je remarquai que, devant moi,
sur la partie du mur tombant juste sous ma vue, le
papier faisait des cloques. Des morceaux de paysage
avaient souffert d'humidité et, un peu moisis, se
décollaient. Quel dommage ! Parcourant alors le
pavillon du regard, je relevai avec surprise des traces
d'usure et d'abandon que je n'avais pas notées la
veille. Le marbre de la cheminée était fendu et le
manteau, détérioré, n'avait été ni réparé ni remplacé.
Un battant de fenêtre, ayant un de ses gonds descellé,
pendait un peu et fermait mal, la fente laissait passer
un petit vent coulis et je frissonnais sous le courant
d'air. C'est ce qui me fit sortir du lit. Une autre
étrange surprise fut de trouver la cruche, sur la table
de toilette, non seulement vide mais fêlée,
poussiéreuse, le goulot encombré par une toile
d'araignée. Je fus, je l'avoue, déçu par cette marque
de négligence, de maison mal tenue, voire même un
peu choqué par ce manque d'attention à mon égard.
Je passai un vêtement pour aller tirer de l'eau.
Dehors, le soleil était doux et rose. Je cherchai une
fontaine ou un puits. Pensant les trouver vers les

communs, je pris une vieille allée entre deux murs de buis — mal entretenue elle aussi — et au détour d'un écran de feuillage tombai sur une clairière avec, non loin au fond, les ruines d'un ancien château. Un monceau de lierre sur quelques pans de murs. Cette vision me saisit : la veille, je n'avais aperçu rien de pareil dans le voisinage. J'avais dû m'égarer, prendre l'allée à contresens. J'allais retourner sur mes pas quand je reconnus, à peu de distance de ces ruines, une aile des écuries où l'on avait logé mon cheval. J'en approchai, j'en fis le tour pour gagner la façade et, cette fois, me retrouvai en terrain familier. Il suffirait de passer le coin du bâtiment et j'aurais devant moi la maison de mes hôtes, avec son escalier en fer à cheval, son perron, sa terrasse...

Si je n'ai pas poussé un cri, si je n'ai ajouté au silence immobile des lieux qu'un autre silence aussi bruyant dans mes oreilles que le tonnerre, c'est que ma gorge s'était nouée à m'en couper le souffle. Car là, devant moi, sous le soleil, étaient bien des restes d'escalier, de perron, de terrasse — *mais rien d'autre* ! Il n'y avait plus rien derrière. Plus de maison. Sauf les quelques pans de murs écroulés, envahis par le lierre, qu'à l'instant j'avais pris pour les ruines d'un château inconnu.

Je crus d'abord perdre la raison. Et restai là, tremblant, paralysé, à me demander avec terreur si j'étais fou, ou l'objet d'un cauchemar, ou le témoin anéanti d'une catastrophe inexplicable. Je me pinçai, me giflai, me griffai, mais j'étais éveillé, non je ne rêvais pas, et j'aurais pu compter les oiseaux voletant au-dessus de ces décombres, des retombées de lierre où ils avaient fait leurs nids.

Malgré le tremblement, le froid interne, la chair de poule, je réussis enfin — après combien de temps ? — à arracher mes pieds du sol. Et je me précipitai, et je montai en courant les marches de l'escalier qu'hier j'avais gravies, heureux, avec Laïs. Je retrouvais les vieux balustres, leur pierre usée sous le lichen, et celle que des briques avaient remplacée... Et je foulai le sol de la terrasse, heurtant du pied les carreaux inégaux que l'herbe soulevait... Je passai le seuil de ce qui fut une galerie, et l'entrée de ce qui avait été, un jour, le salon en rotonde... J'en reconnaissais la forme et l'emplacement, et la disposition des murs, en ce moment nulle part beaucoup plus hauts que la taille d'un homme... Le lierre, le lierre recouvrait tout.

Sous la verdure s'apercevait le peu qui subsistait des niches entre les fenêtres, veuves des trois Grâces qui les habitaient... Et là-haut, au niveau des yeux, visibles par endroits à travers les feuilles sombres, se voyaient encore ici un pied de nymphe, là les plis d'un drapé digne de della Robbia, plus haut une aile de cupidon... Partout poussait entre les pierres, se répandait cette fine graminée aux minuscules fleurs bleues qu'on appelle « Ruines-de-Rome »... Pour progresser il me fallait écarter des fougères, ou enjamber, enfouis sous les chardons, des fragments de poutres noircies, portant les traces encore d'un ancien, très ancien incendie... Je me déplaçais comme dans un songe — et j'en venais, oui, j'en venais à me demander si, le songe, c'était en ce moment que j'en étais la proie épouvantée ou si, mon Dieu ! ou si ç'avait été hier, mon Dieu ! hier toute la journée et toute la nuit... Je repassai sur la terrasse, pris le court escalier qui menait au couloir où m'avait entraîné la veille, ma main dans la sienne, la jeune fille impatiente... Et enfin je foulai le sol de ce qui avait été, naguère, la chambre rose.

C'était un sol de vieilles tomettes, roses elles aussi, mais étoilées de mousse, et qu'on voyait ici soulevées, ailleurs creusées, érodées de pluie, éclatées de gel, entre lesquelles poussait de l'herbe... Et alors, là, sur l'un de ces carreaux de brique, encore intact — juste à l'emplacement où s'était trouvé un lit de jeune fille — là, par terre, un objet rond brillait. Je l'aperçus, le reconnus immédiatement. Il brillait sous le doux soleil matinal comme un signal, comme un appel. Et je blêmis — et j'approchai, les jambes flageolantes — et c'était lui, c'était bien lui — c'était le médaillon que l'on m'avait donné pour mes quinze ans.

Des moments qui suivirent je ne puis rien écrire, j'étais si près de me trouver mal que je n'en garde même pas un souvenir confus, rien qu'un sentiment de nausée, d'épouvante, un mélange de désespoir et d'interrogation. Le plus terrible était de me demander ce que, avec cette maison, avaient pu devenir ses habitants. Ce qu'était devenue Laïs, que je pressentais, avec horreur, perdue pour moi — ah ! perdue à jamais — *nevermore !* — ô mon Dieu !

puisque celle que j'avais cru tenir, tendre et chaude, dans mes bras, n'avait pas dû, hier, exister davantage que la douce chambre rose un peu abandonnée où elle m'avait reçu... Et pourtant, me disais-je, ce médaillon qui porte témoignage ? Ç'avait donc été vrai ? Mais c'était impossible !... Et à travers la confusion atroce de mon esprit, de vagues réminiscences venaient lutter contre mon désarroi, y produisaient des lueurs intermittentes, brèves et fugitives comme des fugitives lueurs de lune apparaissant, disparaissant derrière les nuages noirs... N'avais-je pas entendu dire — je ne savais quand, je ne savais où — que le temps, le temps n'est pas peut-être cet écoulement irréversible et implacable dont nous croyons avoir conscience et tel qu'irrévocable l'attestent les hommes de science. Que peut-être, peut-être il pourrait exister ensemble plusieurs temps qui se chevauchent et que, dans certaines circonstances, sous l'impulsion de volontés hors du commun, il arrive — il pourrait arriver — qu'on se trouve en train d'errer dans cette confusion temporelle, de même que l'on erre, perdu, sur les immensités de l'océan ou les méandres d'une terre étrangère... Avais-je été plongé, des heures durant — par quelle inconcevable force dans ce monde ou dans un autre — au cœur d'une de ces tranches de temps irrégulier et aberrant, de temps erratique ? Car sinon, sinon, que devrais-je croire ? Que tout un jour, toute une nuit, j'avais seulement été la proie de quelque interminable hallucination ? Que tout cela je l'avais seulement, seulement rêvé ? Mais la présence, alors, du médaillon ?

Ah, il brillait, ce médaillon, comme un acte de foi, pareil à une certitude, à une affirmation ! Je ne le ramassai pas. Je n'osais le reprendre. Je croyais voir et je crois voir encore en lui je ne sais quel emblème d'une violence d'amour — d'un fol amour de petite fille — d'un amour par-delà le temps — par-delà la distance et la mort — d'un amour trop sublime pour que j'ose en effacer la trace silencieuse, le muet et humble témoignage. Je ne l'ai pas repris mais j'ai longtemps, longtemps tremblé sans le quitter des yeux.

Je ne sais plus quand je suis parti. Je me suis retrouvé marchant parmi les ronces, dans le parc retourné à l'état sauvage. Quelle force encore me guidait — ou quel instinct — ou simplement quelle erreur peut-être ? Toujours est-il qu'au lieu de recouvrer mon cheval, je tombai sur une sorte de rond-point que bordait le vieux mur d'enceinte, quelque peu écroulé. Et là, contre ce mur, des hampes de fougères et un rosier à demi-mort recouvraient en partie deux dalles côte à côte. Deux dalles funéraires depuis longtemps abandonnées. Pourtant celui, ou celle, ou ceux qui les avaient fait mettre devaient être animés de déférence et d'affection. Car en tête des tombeaux, ils avaient fait pieusement dresser des bustes émouvants dont l'un était encore, dans l'ombrage des plantes qui l'abritaient, tout à fait intact. C'était celui, très ressemblant, d'un personnage sévère, à la barbe taillée courte — le buste et le visage tout rongés de lichen du père de Laïs.

Mais l'autre buste, je frissonnai à voir qu'on ne sait quel accident en avait séparé la tête de la gorge. Il ne restait, sur le tombeau, que le corsage et la naissance du cou. La tête elle-même avait roulé sous les feuilles mortes et je ne voulais pas la ramasser, comme si un dernier refus, un ultime recours, contre l'irréparable à la superstition, m'avaient retenu de la découvrir. Mais en même temps une angoisse trop violente, un élan de tendresse douloureuse et désespérée m'interdirent plus fort de la laisser là, gisant sous les feuilles humides — et il me fallut, il me fallut m'agenouiller et dégager la tête et la prendre entre mes mains — et c'était, ah, c'était bien, rongé de lichen lui aussi, le doux, le beau, l'exquis visage de Laïs, les sourcils et le nez juste un peu infléchis, leur déviation imperceptible, juste de quoi attendrir et se faire aimer...

Combien de temps l'ai-je gardé, ce visage, contre moi, caressant de ma joue cette face de pierre en sanglotant ? Je ne sais. Je ne pouvais me résigner à m'en défaire. Hélas, il fallut bien, à la fin, m'y résoudre. Mais quand je voulus replacer la tête sur son buste, je n'y parvins pas. Je dus la coucher, à côté, sur la dalle — et ainsi, posée sur une joue, elle parut y dormir, de son tranquille et mortel sommeil.

Alors je retournai parmi les ruines. Je pénétrai de nouveau dans l'ancienne chambre rose. Et cette fois, je ramassai le médaillon. Puis je revins le poser sur la dalle, près de la tête endormie, au bord des lèvres. J'espère, je crois, je m'assure qu'il y est toujours.

Enfin, après de longs, très longs moments de lancinante, de déchirante méditation, il fallut m'arracher à ce tombeau où gisait, depuis toutes ces années, la poussière d'une femme que j'avais, cette nuit, follement et charnellement aimée. Ce n'est que beaucoup plus tard que j'ai pu tout apprendre de ce drame très ancien : la ruine définitive de l'exploitation ; la mort de la jeune fille d'une fluxion de poitrine ; le suicide de son père doublement accablé ; les créanciers furieux, la maison mise à sac, puis incendiée. Mais si, à ce moment, je pressentais la tragédie, je n'en pouvais deviner encore les circonstances : ni comment cette ravissante maison était tombée en ruines ; ni comment mon amante d'une nuit avait trouvé la mort. Je me harcelais d'hypothèses, et toutes me lacéraient le cœur. Je repoussais les plus horribles ; mais les plus douces, encore, attisaient ma souffrance. Et c'est ainsi, torturé de visions, perdu dans mes pensées, que lentement je retraversai le parc abandonné, et lentement rejoignis mon cheval. Lentement je l'enfourchai. Lentement je m'éloignai de ces lieux endeuillés, où j'ai laissé mon âme. Je m'aperçus seulement que je pleurais en voyant le cuir de la selle s'étoiler de mes larmes. Je ne pouvais les retenir. Et c'est toujours pleurant que j'ai fait tout le chemin ; que je demandais ma route aux paysans ; qu'à l'auberge, j'ai restitué mon cheval ; et que je suis revenu enfouir ma peine à Copenhague.

FIN